1. Auflage 2024
Copyright der deutschsprachigen Ausgabe:
© Schneiderbuch in der Verlagsgruppe HarperCollins Deutschland GmbH, Hamburg
Alle Rechte für die deutschsprachige Ausgabe vorbehalten
Die englische Originalausgabe erschien 2023 unter dem Titel
„MINECRAFT Would you rather" bei Farshore. An imprint of HarperCollins*Publishers*
1 London Bridge Street, London SE1 9GF

Illustrationen: Joe McLaren
Special thanks to Sherin Kwan, Alex Wiltshire, Jay Castello, Kelsey Ranallo and Milo Bengtsson

This book is an original creation by Farshore

Übersetzung aus dem Englischen: Silvia Schröer
Umschlag und Satz: Achim Münster, Overath
in Anlehnung an das englische Original
Druck und Bindung: GGP Media GmbH, Pößneck
Printed in Germany • ISBN 978-3-505-15203-0

www.schneiderbuch.de
Facebook: facebook.de/schneiderbuch
Instagram: @schneiderbuchverlag

Druckprodukt mit finanziellem
Klimabeitrag
ClimatePartner.com/15109-2009-1001

MIX
Papier
FSC   FSC® C014496

ONLINE-SICHERHEIT FÜR JÜNGERE FANS

Online spielen macht Spaß! Um die Minecraft-Welt auch im Internet unbeschwert genießen
zu können, solltest du ein paar Regeln beachten:

- Gib niemals deinen richtigen Namen an. Verwende ihn nicht als Benutzernamen.
- Mache niemals Angaben zu deiner Person.
- Erzähle niemandem, welche Schule du besuchst oder wie alt du bist.
- Vertraue niemandem dein Passwort an, außer deinen Eltern oder Erziehungsberechtigten.
- Für viele Webseiten musst du mindestens 13 Jahre alt sein, wenn du dort ein Benutzerkonto
einrichten willst. Bitte deine Eltern oder Erziehungsberechtigten um Erlaubnis, bevor du
dich registrierst.
- Wenn dich irgendetwas verunsichert, sprich mit deinen Eltern oder Erziehungsberechtigten
darüber.

Jede der in diesem Buch aufgeführten Webadressen war zur Drucklegung aktuell. Dennoch
kann HarperCollins keine Verantwortung für den angebotenen Inhalt Dritter übernehmen. Bitte
nehmen Sie zur Kenntnis, dass sich im Internet angebotene Inhalte ändern und nicht für Kinder
geeignete Inhalte auf Webseiten auftauchen können. Wir empfehlen, Kinder zu beaufsichtigen,
wenn diese das Internet benutzen.

MINECRAFT

WÄRST DU LIEBER...?

WILLKOMMEN IN DER WUNDERBAREN BLOCK-WELT VON MINECRAFT!

Steve und Alex müssen sich auf ihren Abenteuern lustigen, ungewöhnlichen und kniffligen Situationen stellen. Kannst du ihnen helfen zu entscheiden, was sie tun sollen?

Aber sei gewarnt – es wird nicht leicht! Jedes Mal, wenn du umblätterst, sehen sich unsere Helden einer neuen Herausforderung gegenüber und müssen zwischen zwei schwierigen Möglichkeiten wählen.

Vielleicht musst du entscheiden, ob du dem Wither ohne Schild gegenübertreten willst oder ob ein wandernder Händler dir den ganzen Tag hinterherlaufen soll.

Berate dich mit deinen Freunden und deiner Familie. Wofür würden sie sich entscheiden? Ihre Antworten überraschen dich vielleicht!

ALEX UND STEVE SUCHEN NACH DEM NÄCHSTEN ÜBERLEBENS-MODUS-ABENTEUER, KÖNNEN SICH ABER NICHT AUF EINE HERAUS-FORDERUNG EINIGEN.

WÜRDEST DU LIEBER ...

in einem endlosen Gewitter alle Kreaturen für einen Zoo zusammentreiben

ODER

alle Gegenstände aus dem Spiel sammeln, aber dafür ist es immer Nacht?

Es ist ziemlich gefährlich, alle Gegenstände nachts zu sammeln. Da sind viele Monster unterwegs. Ich bin dafür, dass wir alle Mobs während des Gewitters zusammentreiben – was schadet schon ein bisschen Regen?

Aber es könnte nach hinten losgehen, wenn wir Mobs während eines Gewitters zusammentreiben. Wir könnten plötzlich Zombie-Piglins statt Schweinen haben oder sogar aufgeladene Creeper! Wenn wir Gegenstände sammeln, können wir uns wenigstens mit ihnen verteidigen.

VARIANTEN

WÜRDEST DU DICH BEI EINER DIESER VARIANTEN ANDERS ENTSCHEIDEN?

ENDLOSES GEWITTER	IMMER NACHT
■ Egal wohin du gehst, du musst alle deine eingesammelten Mobs in einem langen Zug aus Loren hinter dir herziehen.	■ Du kannst immer nur einen Gegenstand in deinem Inventar lagern und musst den Rest in Kisten auf Eseln mit dir herumschleppen.
■ Du hast für jeden Mob nur zwei Schienen und musst deshalb ständig Schienen bauen, um voranzukommen.	■ Während du einen Kürbis isst, wirst du von Monstern angegriffen und hast keine Zeit mehr, zu deinem Esel zu gehen und dir eine Waffe zu holen.

STEVE UND ALEX BRAUCHEN EINE BASIS, HABEN ABER NICHT GENUG IN IHREM INVENTAR, UM SICH EINE NEUE BAUEN ZU KÖNNEN. JEDER VON IHNEN HAT EINE BEREITS BESTEHENDE BASIS GEFUNDEN.

WÜRDEST DU LIEBER ...

in einem Haus aus Spinnweben mit einer Spinne wohnen

ODER

in einem Haus aus Magmablöcken mit einem Schreiter?

STEVE

ALEX

Trag einen Wirrpilz auf einem Stock bei dir, und der Schreiter ist dein neuer bester Freund.

Ja, solange du den Wänden nicht zu nahe kommst! Die heißen Blöcke werden Narben hinterlassen.

Aber mit einer Spinne zusammenleben? Neben einem aggressiven Mob wirst du nicht schlafen können.

Trotzdem wohne ich lieber bei einem Monster als in einem Haus, das mich angreifen will! Eine Spinne kann man wenigstens besiegen.

VARIANTEN

WÜRDEST DU DICH BEI EINER DIESER VARIANTEN ANDERS ENTSCHEIDEN?

EIN HAUS AUS SPINNWEBEN MIT EINER SPINNE	EIN HAUS AUS MAGMABLÖCKEN MIT EINEM SCHREITER
■ Die Spinne veranstaltet ein Überraschungsessen für Freunde und Familie: Die Hauptspeise bist du!	■ Du lebst unter einer Netherfestung und stehst oft unter Beschuss von Lohen.
■ Nach und nach füllt sich das Haus mit klebrigen Spinnweben, sodass du nur noch langsam vorankommst – die Spinne aber nicht!	■ Der Schreiter besteht auf einem Indoor-Lava-Pool direkt neben deinem Bett.

EIN NEUES ABENTEUER WARTET AUF UNSERE ZWEI HELDEN. DOCH EIN TAG HAT GERADE AUSREICHEND TICKS, UM EINE NEUE SACHE ZU LERNEN. ABER WELCHE?

WÜRDEST DU LIEBER ...

unglaublich schnell bauen können

ODER

ein Redstone-Genie sein?

ALEX

Schnell bauen bedeutet, dass meine Welt schneller wächst. Ich kann alle meine Projekte fertigstellen und dabei noch mehr lernen.

STEVE

Mit Redstone kannst du alle möglichen genialen Sachen erfinden und deine verrücktesten Ideen umsetzen.

VARIANTEN

WÜRDEST DU DICH BEI EINER DIESER VARIANTEN ANDERS ENTSCHEIDEN?

SCHNELL BAUEN KÖNNEN	EIN REDSTONE-GENIE SEIN
■ Illager überfallen eine riesige Stadt, die du gebaut hast, und nutzen sie als Basis, um ein böses Imperium zu errichten.	■ Piglin-Grobiane stehlen deine Erfindungen und nutzen sie, um die Oberwelt zu überfallen.
■ Du darfst einen neuen Block erfinden.	■ Du darfst dem Spiel ein neues Redstone-Element hinzufügen.

STEVE STEHT AUF DER FALSCHEN SEITE DES FLUSSES. ER MÖCHTE ZURÜCK ZU SEINER BASIS, SICH ABER DIE STIEFEL NICHT NASS MACHEN. DOCH IN SEINEM INVENTAR BEFINDEN SICH NUR ZWEI RESSOURCEN.

WÜRDEST DU LIEBER ...

den Fluss auf einer breiten Brücke aus Eis überqueren

ODER

auf einer schmalen Brücke aus Honig-blöcken?

VARIANTEN

WÜRDEST DU DICH BEI EINER DIESER VARIANTEN ANDERS ENTSCHEIDEN?

BREITE EISBRÜCKE	SCHMALE HONIGBLOCKBRÜCKE
■ Jemand hat unter der Brücke ein Lagerfeuer entfacht, und das Eis schmilzt schnell.	■ Jeder vierte Honigblock fehlt, und die Honigblöcke verhindern, dass du springen kannst.
■ Ein Panda schlendert auf das andere Ende der Eisbrücke zu. Er muss weg, damit du nach Hause kannst. Aber du hast nichts weiter als ein Schwert dabei ...	■ Eine Biene lässt sich auf der Honigblockbrücke zum Fressen nieder – sie weigert sich zu gehen, aber wenn du sie angreifst, wird ihr ganzer Bienenstock dich attackieren.

ALEX UND STEVE WAREN WO-CHENLANG UNTERWEGS. ALS SIE NACH IHREN ABENTEUERN WIE-DER HEIMKOMMEN, STELLEN SIE FEST, DASS IHRE VORRÄTE VON FÜCHSEN GESTOHLEN WURDEN!

SIE HABEN NUR NOCH ZWEI GEGEN-STÄNDE, WENIGE HUNGERPUNKTE ÜBRIG UND MÜSSEN EINE SCHWIERIGE ENTSCHEIDUNG TREFFEN.

WÜRDEST DU LIEBER ...

einen großen Berg giftiger Kartoffeln mampfen

ODER

verrottetes Fleisch verputzen?

STEVE

Bäh, das ist beides eklig!

ALEX

Verrottetes Fleisch stammt von Zombies, und einige dieser Zombies waren vorher Dorfbewohner! Igitt. Außerdem hast du danach wahrscheinlich immer noch Hunger.

STEVE

Giftige Kartoffeln sind auch ziemlich ekelhaft, und sie können dich vergiften!

VARIANTEN

WÜRDEST DU DICH BEI EINER DIESER VARIANTEN
ANDERS ENTSCHEIDEN?

GIFTIGE KARTOFFELN	VERROTTETES FLEISCH
■ Durch die giftigen Kartoffeln erhältst du Unsichtbarkeit, aber auch Langsamkeit. Du bist jetzt ein megalangsamer Superheld!	■ Durch das verrottete Fleisch bekommst du Grabmüdigkeit, aber auch Stärke. Du bist zwar hungrig und kannst nichts abbauen, aber nehmt euch in Acht, ihr Monster!
■ Wenn du die giftigen Kartoffeln isst, riskierst du, zum Zombie zu werden.	■ Wenn du das verrottete Fleisch isst, hat jeder Zombie in der Nähe dich im Visier.

DIE BASIS VON STEVE UND ALEX BEFINDET SICH NEBEN EINEM FLUSS VOLLER ERTRUNKENER. ABER NACHDEM ZOMBIES SIE ÜBER IHRE BRÜCKE VERFOLGT HABEN, SUCHEN DIE BEIDEN NACH EINEM ANDEREN WEG, DEN FLUSS ZU ÜBERQUEREN.

WÜRDEST DU LIEBER ...

dreimal so hoch springen können, aber jedes Mal ein Herz verlieren,

ODER

doppelt so schnell schwimmen, dafür aber nur halb so weit sehen können?

ALEX

Doppelt so schnell schwimmen zu können, wäre megahilfreich auf Erkundungstouren. Wenn ich ein Monument entdecke, könnte ich den Wächtern entkommen.

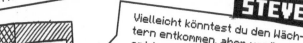

STEVE

Vielleicht könntest du den Wächtern entkommen, aber womöglich entdeckst du das Monument gar nicht erst, wenn du nur halb so weit siehst.

ALEX

Aber bei jedem Sprung ein Herz verlieren? Du würdest nicht weit kommen, weil du dein ganzes Essen aufbrauchen müsstest.

STEVE

Ich kann zusätzliches Essen mitnehmen! Ich werde auf Bäume springen und Biome schneller erkunden können.

VARIANTEN

WÜRDEST DU DICH BEI EINER DIESER VARIANTEN ANDERS ENTSCHEIDEN?

HÖHER SPRINGEN	SCHNELLER SCHWIMMEN
■ Jedes Mal, wenn du springst, verlierst du eine Waffe.	■ Jedes Mal, wenn du schwimmst, verlierst du ein Rüstungsteil.
■ Jedes Mal, wenn du springst, wartet nach der Landung eine Ziege auf dich, um dich zu rammen.	■ Jedes Mal, wenn du schwimmst, scharen sich Kugelfische um dich und blähen sich auf.

STEVE UND ALEX UNTERHALTEN SICH BEIM ANGELN DARÜBER, WELCHE COOLEN VERZAUBERUNGEN SIE ERFINDEN WÜRDEN, WENN SIE KÖNNTEN.

HÄTTEST DU LIEBER ...

einen Helm, mit dem du in Lava schwimmen kannst,

ODER

Stiefel, die dir übermenschliche Schnelligkeit verleihen?

STEVE

Der Helm wäre perfekt, um den Nether zu erkunden – es wäre sehr viel unwahrscheinlicher, dass ich sterbe. Außerdem, wer weiß, was ich in den Lavaseen finden würde.

ALEX

Aber stell dir vor, übermenschliche Geschwindigkeit zu haben! Ich müsste nicht mehr ewig ein wildes Pferd zähmen, um schneller voranzukommen.

VARIANTEN

WÜRDEST DU DICH BEI EINER DIESER VARIANTEN ANDERS ENTSCHEIDEN?

IN LAVA SCHWIMMEN	SCHNELLE STIEFEL
■ Du kannst dreißig Sekunden lang in Lava schwimmen, bevor du in Flammen aufgehst.	■ Du bist so schnell, dass du über Wasser laufen kannst – aber nur dreißig Schritte weit, dann gehst du unter.
■ Mit dem Helm wird alles, was du ansiehst, zu Lava.	■ Die Stiefel erzeugen Schluchten, egal wohin du gehst.

19

AUF DER FLUCHT VOR EINER HORDE ZOMBIES SIND ALEX UND STEVE DURCH DIE OBERWELT GERANNT. ABER JETZT SIND SIE ÜBERHAUPT NICHT AUF IHR NÄCHSTES ABENTEUER VORBEREITET.

WÜRDEST DU LIEBER ...

in einem Wüsten-biom mit nichts weiter als Holz in deinem Inventar festsitzen

ODER

dich in einer tiefen Höhle verirren mit nichts weiter als Essen in deinem Inventar?

Höhlen sind gefährlich und dunkel. Du wirst Werkzeuge brauchen, um zu überleben, aber ohne Holz wirst du keine herstellen können.

ALEX

STEVE

Ich kann nach einem Minenschacht suchen, um Ressourcen für Werkzeuge zu sammeln. Du hast vielleicht Werkzeuge, aber was ist mit Essen? In der Wüste gibt es fast nur Untote!

Ich kann Kaninchen jagen. Außerdem kann ich mich mit einem Holzschwert gegen Mobs verteidigen. Wie willst du die Mobs ohne Fackel fernhalten?

Falls du ein Kaninchen erwischst! Diese Tierchen sind schnell! Wenigstens werde ich genug Nahrung haben, bis ich einen Weg aus der Höhle finde.

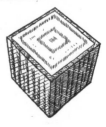

VARIANTEN

WÜRDEST DU DICH BEI EINER DIESER VARIANTEN ANDERS ENTSCHEIDEN?

NUR HOLZ IN DER WÜSTE	NUR ESSEN IN EINER TIEFEN HÖHLE
■ Als die Sonne aufgeht, legen die Untoten Feuer. Einer setzt deine Basis in Brand und versucht einzudringen.	■ Du findest eine Höhle voller Spinnweben. Sie wird von einer hungrigen Höhlenspinne bewohnt, die in der Dunkelheit lauert und nur darauf wartet anzugreifen.
■ Ein Kaninchen zeigt dir, wie du schnell aus der Wüste herauskommst, aber nur wenn du es und seine Freunde nicht isst.	■ Eine freundliche Fledermaus bringt dich an die Oberfläche, aber auf einem Umweg!

ALEX UND STEVE HABEN ES GESCHAFFT, SICH AUS DER VORHERIGEN ZWICK-MÜHLE ZU BEFREIEN – NUR UM DIREKT IN DIE NÄCHSTE ZU GERATEN! SIE SOLLTEN ECHT BESSER AUFPASSEN, WO SIE HINGEHEN.

WÜRDEST DU LIEBER ...

in der verschneiten Ebene festsitzen mit nichts weiter als einem Keks

ODER

im tiefen Dunkel mit nichts weiter als einer Fackel?

ALEX

Ein falscher Schritt im tiefen Dunkel, und ich alarmiere den Wächter.

STEVE

Die verschneiten Ebenen sind voller Pulverschnee. Ein falscher Schritt, und du wirst durchkriechen müssen – oder schlimmer noch, von ihm begraben werden.

VARIANTEN

WÜRDEST DU DICH BEI EINER DIESER VARIANTEN ANDERS ENTSCHEIDEN?

VERSCHNEITE EBENEN MIT EINEM KEKS	TIEFES DUNKEL MIT EINER FACKEL
■ Du stößt auf ein Iglu, aber darin lebt ein Zombie-Dorfbewohner, der nicht gerne teilt!	■ Du findest eine antike Stadt voller Beute, mit der du dein Inventar füllen kannst. Aber ein Wächter stellt sich dir in den Weg!
■ Du kannst deinen Keks gegen einen goldenen Apfel eintauschen, um den Zombie-Dorfbewohner zu heilen, dafür verlierst du aber die Hälfte deiner Nahrungspunkte.	■ Du kannst deine Fackel gegen fünf Schneebälle eintauschen, um den Wächter abzulenken. Dafür verlierst du aber die Hälfte deiner Herzen.

23

DIE SONNE IST UNTERGEGANGEN, UND UNSERE HELDEN VERSTECKEN SICH VOR MONSTERN. DIE NACHT IST LANG, UND WEIL SIE SICH LANG- WEILEN, FANGEN SIE EINE SCHRÄGE DISKUSSION AN ...

WÜRDEST DU LIEBER ...

mit den Beinen eines Creepers aufwachen   ODER   mit den Armen eines Eisen- golems?

ALEX

Haben Creeper überhaupt Beine?

STEVE

Ja, na klar. Zumindest haben sie Füße – das zählt! Und es sind geniale Schleichfüße. Ich höre sie nie kommen.

Ich bin mir nicht sicher, ob man die Arme des Eisengolems tatsächlich als Arme bezeichnen kann. Es sind eher Rammböcke.

Ich bin mir ziemlich sicher, dass Eisengolems so groß und stark sind, dass sie nicht durch Türen passen.

VARIANTEN

WÜRDEST DU DICH BEI EINER DIESER VARIANTEN ANDERS ENTSCHEIDEN?

CREEPER-BEINE	EISENGOLEM-ARME
■ Du bewegst dich so leise, dass alle erschrecken, wenn sie dich sehen – auch die Dorfbewohner.	■ Du bist so stark, dass deine Freunde dich die Minenarbeit erledigen lassen, während sie das Bauen übernehmen.
■ Wenn du Diamanten findest, freust du dich so sehr, dass du manchmal die Kontrolle verlierst und explodierst – und sie damit zerstörst.	■ Du kannst deine Kraft nicht kontrollieren. Wenn du also Blöcke wie Holz abbaust, zerstörst du sie, bevor du sie überhaupt aufheben kannst.

25

STEVE HATTE EINEN SCHRECKLICHEN ALBTRAUM. GERADE NOCH WURDE ER VON BABYZOMBIES ANGEGRIFFEN, UND IM NÄCHSTEN MOMENT VERFOLGTE IHN EINE RIESIGE SPINNE. ER WEIB NICHT, WAS DAVON SCHLIMMER WÄRE, UND FRAGT ALEX ...

WÜRDEST DU LIEBER ...

gegen fünf Baby-
zombies gleich-
zeitig kämpfen

ODER

von einer Spinne verfolgt
werden, die fünfmal so
groß und stark ist wie
eine normale Spinne?

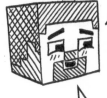

STEVE

Ich kann mich nicht entscheiden, ob fünf Babyzombies schlimmer sind als eine riesige Spinne.

ALEX

Na ja, die Babyzombies bewegen sich alle einzeln. Bei der Spinne muss man sich wenigstens nur vor einer Sache in Acht nehmen.

Aber sie sind nicht so stark wie die Spinne – die ist RIESIG! Den Angriff von so einer Spinne würdest du kaum überleben.

Die Spinne schlägt vielleicht fester zu, aber die Babyzombies bewegen sich schneller. Bist du schnell genug, um sie alle auf einmal abzuhängen?

VARIANTEN

WÜRDEST DU DICH BEI EINER DIESER VARIANTEN ANDERS ENTSCHEIDEN?

BABYZOMBIES	RIESENSPINNE
■ Blitze schlagen ein, und es passiert etwas Seltsames ... Die Babyzombies haben jetzt acht Arme und halten in jedem ein Schwert.	■ Die Spinne wird von einem Babyzombie gebissen und verwandelt sich in eine riesige Zombie-Spinne, die auch dich in einen Zombie verwandeln kann!
■ Die Babyzombies finden fünf Hühner, um in die Schlacht zu reiten – und die picken!	■ Die Spinne wird von einem Wurftrank der Schnelligkeit getroffen und ist jetzt doppelt so schnell.

27

DIE SONNE GEHT AUF, UND ALEX UND STEVE HABEN DIE NACHT FAST ÜBERLEBT. ABER DA ES DRAUßEN NOCH NICHT GANZ UNGEFÄHRLICH IST, BESCHLIEßEN SIE, VERSCHIEDENE ÜBERLEBENS-CHALLENGES ZU DISKUTIEREN ...

WÜRDEST DU LIEBER ...

die gesamte Oberwelt erkunden können, aber es ist immer Nacht, **ODER** auf einer winzigen Insel festsitzen, auf der immer Tag ist?

Normalerweise würde ich mich nicht für die Nacht entscheiden, aber wie soll ich auf einer winzigen Insel auf ein Abenteuer stoßen?

ALEX

STEVE

Es gibt ja auch noch den gesamten Ozean um die Insel herum! Vergiss nicht, dass nachts Monster auftauchen.

Ertrunkene können unabhängig von der Tageszeit unter Wasser spawnen. Im Ozean gibt es bestimmt eine Menge davon!

Ja, aber wenigstens können sie nicht aus dem Wasser heraus, sonst verbrennen sie. In der Oberwelt wimmelt es nur so von Mobs – und das bei völliger Dunkelheit.

VARIANTEN

WÜRDEST DU DICH BEI EINER DIESER VARIANTEN ANDERS ENTSCHEIDEN?

OBERWELT BEI NACHT	INSEL BEI TAG
■ Ständig strömen Mobs zu deiner Basis, und wenn du zu lange nichts unternimmst, riskierst du, dass sich eine Armee vor deinen Mauern versammelt.	■ Schon bald ist deine Insel von Ertrunkenen umzingelt. Sie lauern unter der Wasseroberfläche und warten nur darauf, dass du keinen Proviant mehr hast.
■ Du entdeckst ein Dorf, das von Eisengolems bewacht und nachts von zahlreichen Fackeln erleuchtet wird.	■ Ein Delfin kommt vorbei und bietet dir seine Hilfe an. Er will verborgene Schätze für dich finden, wenn du ihm dafür rohen Fisch gibst.

29

ALEX UND STEVE HABEN EINIGE NOTENBLÖCKE ZUSAMMENGETRAGEN, UM MUSIK ZU MACHEN, KÖNNEN SICH ABER NICHT ENTSCHEIDEN, WELCHE.

WÜRDEST DU LIEBER ...

fünf Stunden lang Heavy Metal hören, aber superlangsam gespielt,

ODER

fünf Stunden lang Opern, aber superschnell gespielt?

ALEX

Sogar wenn Heavy Metal langsam läuft, würde es mich bestimmt motivieren, Bergbau zu betreiben.

STEVE

Stimmt, aber fünf Stunden lang? Wenn die Musik superlangsam läuft, werden sich diese fünf Stunden superlang anfühlen! Bei schnellerer Opernmusik würde die Zeit schneller vergehen, und ich würde bestimmt Lust bekommen, die Oberwelt zu erkunden.

ALEX

Aber megaschnelle Opernmusik wäre echt anstrengend! Langsamer Heavy Metal wäre dagegen fast schon entspannend ...

STEVE

Hmm, da bin ich mir nicht so sicher. Anstrengend passt zu mir. Ich mag das Leben auf der Überholspur.

VARIANTEN

WÜRDEST DU DICH BEI EINER DIESER VARIANTEN ANDERS ENTSCHEIDEN?

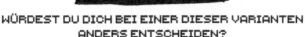

LANGSAMER HEAVY METAL	SCHNELLE OPERNMUSIK
■ Die Heavy-Metal-Songs werden von meckernden Ziegen gesungen.	■ Die Opern-Arien werden von Dorfbewohnern gesungen.
■ Die meckernden Ziegen folgen dir und rammen dich im Takt der Musik.	■ Die singenden Dorfbewohner laufen dir hinterher und sind dir ständig im Weg.

DER GROßE MINE-CRAFT-WETTKAMPF STEHT BEVOR! ALEX UND STEVE HABEN ES IN DIE ENDRUNDE GE-SCHAFFT UND WERDEN GLEICH ERFAHREN, WELCHEN MOB SIE FIN-DEN UND MITBRINGEN MÜSSEN.

WÜRDEST DU LIEBER ...

nach einer braunen Pilzkuh suchen   ODER   einen faulen Panda mitbringen?

32

ALEX

Eine Pilzkuh finden wir am ehesten auf einer Pilzland-Insel. Aber es kann sein, dass man den gesamten Ozean auf der Suche nach der Insel durchkämmen muss.

STEVE

Ja, aber sobald ich die Insel gefunden habe, bin ich fein raus! Faule Pandas zu finden, ist nicht einfach. Es ist schon schwer genug, überhaupt einen Panda zu finden – geschweige denn einen faulen!

ALEX

Nicht wenn alle Pilzkühe auf der Insel rot sind! Ich finde bestimmt Pandas. Dschungel-biome erkennt man schon von Weitem an den hohen Bäumen.

STEVE

Rote Pilzkühe können in braune verwandelt werden. Ich brauche dafür nur einen Blitz und sehr viel Glück! Aber wenn du einen Panda mit einer anderen Persönlichkeit findest, kannst du daran nichts ändern.

VARIANTEN

WÜRDEST DU DICH BEI EINER DIESER VARIANTEN ANDERS ENTSCHEIDEN?

BRAUNE PILZKUH	FAULER PANDA
■ Du findest nur rote Pilzkühe und hast vergessen, Weizen mitzunehmen, um eine braune zu züchten.	■ Der faule Panda will sich nicht be-eilen, um dir zu folgen. Um zu gewinnen, musst du ihn hinter dir herschleifen.
■ Als du mithilfe eines Gewitters deine rote Pilzkuh in eine braune verwandelst, trifft ein Blitz auch noch ein Schwein. Argh! Ein Zombie-Piglin!	■ Der Panda wird von einer Plünderer-Geburtstagsfeier in der Nähe abgelenkt und lässt dich stehen, um Kuchen zu essen.

AM LIEBSTEN ENTDECKEN STEVE UND ALEX NEUE MOBS IN MINE-CRAFT. SIE DENKEN OFT DARÜBER NACH, WELCHEN SIE ALS NÄCHSTES FINDEN MÖCHTEN ...

WÜRDEST DU LIEBER ...

einen meganiedlichen Mob finden, der dir ständig das Bein stellt,

ODER

einen supergruse-ligen Mob, der die neuesten Hits singt?

STEVE

ALEX

Einem niedlichen Mob kann ich nicht widerstehen.

Ein niedlicher Mob, der dir ständig das Bein stellt? Du wirst niemals mit irgendwas fertig werden!

Aber ein singender gruseliger Mob? Ich werde den ganzen Tag mit einem Ohrwurm herumlaufen.

Ohrwürmer müssen nicht schlecht sein!

VARIANTEN

WÜRDEST DU DICH BEI EINER DIESER VARIANTEN ANDERS ENTSCHEIDEN?

NIEDLICHER MOB	GRUSELIGER MOB
■ Der niedliche Mob tanzt gerne – und zwar den ganzen Tag. Dabei stößt er alles um, was ihm im Weg steht, auch alle deine Sachen.	■ Der gruselige Mob bringt den Dorfbewohnern seine Lieder bei. Sie üben jeden Morgen draußen vor deiner Basis. Es klingt grauenhaft!
■ Der niedliche Mob macht jedem die Tür auf – auch Zombies, die nachts anklopfen!	■ Der gruselige Mob will dich in den Schlaf singen, aber er bewirkt das Gegenteil. Jetzt sind Phantome da!

35

ALEX HAT SICH DIE GANZE NACHT HIN UND HER GEWÄLZT. SIE HATTE EINEN ALBTRAUM: SIE WURDE VON PIGLINS VERFOLGT UND ABGEWIESEN, ALS SIE IN EINEM DORF ZUFLUCHT GESUCHT HAT. SIE BESCHLIEẞT, STEVE ZU FRAGEN, WAS IHM LIEBER WÄRE.

WÄRST DU LIEBER ...

aus allen Dörfern verbannt **ODER** von allen Piglins gehasst?

ALEX

Es geht gar nicht, dass alle Piglins wütend auf mich sind. Dafür bin ich zu oft im Nether. Ich trage auch immer meinen goldenen Helm, um ihnen zu zeigen, dass ich freundlich bin.

STEVE

Du würdest lieber in keine Dörfer mehr dürfen? Das sind deine Zufluchtsorte in der Oberwelt. Wenn du ein Dorf entdeckst, weißt du, dass dort ein Eisengolem aufpasst, damit du sicher schlafen kannst.

ALEX

Pah, ich brauche keine Hilfe von Eisengolems! Lieber handele ich mit Piglins um Feuerkugeln, Enderperlen und Tränke des Feuerwiderstands.

STEVE

Mit Piglins zu handeln, ist nützlich, aber genauso nützlich wie mit Dorfbewohnern? Dorfbewohner können mir fast alles verkaufen, was ich brauche.

VARIANTEN

WÜRDEST DU DICH BEI EINER DIESER VARIANTEN ANDERS ENTSCHEIDEN?

AUS DÖRFERN VERBANNT	PIGLINS HASSEN DICH
■ Alle Dorfbewohner und Eisengolems jagen dich, sodass du nie wieder in die Nähe eines Dorfes kommen kannst.	■ Sobald du einen Fuß in den Nether setzt, wirst du von Piglins gejagt.
■ Du bist bei allen Piglins beliebt – auch bei den Piglin-Grobianen. Du hast sogar einen Hoglin namens Holly als Haustier.	■ Du hast einen Eisengolem-Kumpel namens Einar, der dir jeden Tag eine Mohnblume schenkt.

AUF DER SUCHE NACH DEM PERFEKTEN ORT FÜR IHRE BASIS HABEN UNSERE HELDEN JEDES RISIKO AUF SICH GENOMMEN. DORT ANGEKOMMEN, MÖCHTE ALEX VOR ALLEM FARMEN BAUEN, UM FÜR ESSEN ZU SORGEN, WÄHREND STEVE SICH MIT DEN DORFBEWOHNERN IN DER NÄHE ANFREUNDEN MÖCHTE.

HÄTTEST DU LIEBER ...

alle halb automatischen Farmen, die du brauchst, ODER unbegrenzte Handelsangebote bei den Dorfbewohnern?

ALEX

Die Farmen werden uns in den nächsten Wochen mit aller Nahrung versorgen.

STEVE

Bei den Dorfbewohnern können wir eine Menge sehr nützliches Werkzeug und Ausrüstung erhandeln. Das kann uns Stunden beim Farmen sparen.

Du musst trotzdem farmen, um etwas für den Handel mit den Dorfbewohnern zu haben. Mit Getreidefarmen haben wir genug zu essen.

Mit unbegrenzten Handelsangeboten hätten wir im Nullkommanichts einen Riesenhaufen Smaragde zusammen. Damit könnten wir uns eine glänzende Diamantrüstung für unsere Abenteuer besorgen.

VARIANTEN

WÜRDEST DU DICH BEI EINER DIESER VARIANTEN ANDERS ENTSCHEIDEN?

HALB AUTOMATISCHE FARMEN	UNBEGRENZTE HANDELSANGEBOTE
■ Deine halb automatischen Farmen versorgen dich mit aller überlebenswichtigen Nahrung, aber du darfst sie nicht für den Handel mit den Dorfbewohnern nutzen.	■ Die Dorfbewohner mögen dich und geben dir alles zum halben Preis. Aber dafür kannst du immer nur eine Pflanze nach der anderen anbauen.
■ Die Farmen ziehen Mobs aus der Umgebung an. Jeden Tag fällt ein Schwarm wütender Bienen über deine Felder her.	■ Das Dorf ist so erfolgreich, dass es feindselige Wölfe angelockt hat. Sie verjagen alle Dorfbewohner, wenn du sie nicht aufhältst.

39

STEVE UND ALEX DRINGEN IMMER WEITER IN DIE WILDNIS VOR. DABEI TREFFEN SIE AUF EINIGE MOBS, DIE SICH SEHR SELTSAM VERHALTEN.

WÜRDEST DU LIEBER ...

in einem Ebenen-Biom spielen, wo lästige Schafe dir die Ernte klauen,

ODER

in einem Taiga-Biom voller nerviger Füchse, die Smaragde klauen.

STEVE

Im Ebenen-Biom gibt es überall Schafe. Wir werden nie einen Bauernhof haben, wenn sie alle Ernten fressen!

ALEX

Ich kann einen Zaun bauen, damit die Schafe die Ernte nicht mehr fressen. Schwieriger wird es, deine Smaragde vor den Füchsen zu schützen – diese listigen Mobs schlüpfen überall hindurch.

Wegen der Füchse mache ich mir keine Sorgen. Wie viele können es schon sein?

In einem Taiga-Biom? Keine Ahnung. Dort spawnen sie ständig.

VARIANTEN

WÜRDEST DU DICH BEI EINER DIESER VARIANTEN ANDERS ENTSCHEIDEN?

SCHAFE, DIE DIE ERNTE KLAUEN	FÜCHSE, DIE SMARAGDE STEHLEN
■ Babyschafe sind superflink und können über Zäune klettern. So kommen sie in jeden Garten und können jedes Zauntor öffnen. Sie lassen sich einfach nicht aussperren!	■ Die Füchse haben sich zusammengetan und organisieren Raubzüge, bei denen sie jede Nacht so viele Smaragde mitnehmen, wie sie tragen können.
■ Jedes Mal, wenn ein Schaf es nicht schafft, dir deine Ernte zu klauen, stiehlt es stattdessen einen Block von deiner Basis.	■ Füchse, die keinen Smaragd klauen konnten, zünden alles an, was aus Holz ist.

ZWEI UNFREUNDLICHE KREATUREN SIND IN DAS LAGER VON ALEX UND STEVE EINGEDRUNGEN. DA SIE UNSERE HELDEN NICHT IN RUHE LASSEN, MUSS SICH JEDER VON IHNEN UM EINEN DER MOBS KÜMMERN.

HÄTTEST DU LIEBER ...

eine Ziege, die dich verfolgt und jedes Mal rammt, wenn du stehen bleibst,

ODER

einen Schneegolem, der dich begleitet und feindliche Kreaturen so lange provoziert, bis sie dich angreifen?

STEVE

Eine niedliche Ziege? Ja, bitte! Meine Haustiere gehen mir immer verloren, aber dieses wird jedes Mal da sein, wenn ich stehen bleibe.

ALEX

Ja, aber sie wird dich auch jedes Mal rammen. Das wird mit der Zeit echt nervig! Der Schneegolem könnte nützlich sein – in der Wüste sind seine Schneebälle erfrischend.

Seine Schneebälle werden dir gegen die Mobs, die er provoziert, nichts nützen!

Pah, das schaffe ich schon. Außerdem bist du mit der Ziege auch nicht sicherer – sie könnte dich von Berggipfeln schubsen, wenn du stehen bleibst und die Aussicht genießen willst!

VARIANTEN

WÜRDEST DU DICH BEI EINER DIESER VARIANTEN ANDERS ENTSCHEIDEN?

ZIEGE	SCHNEEGOLEM
■ Die Ziege mag keine Hindernisse und tritt alle Blöcke, die nicht zu deiner Basis gehören, um, wenn du sie platzierst.	■ Immer wenn du etwas bauen willst, wirft der Schneegolem dich mit Schneebällen ab.
■ Die Ziege hat Albträume und schreit die ganze Nacht. Ihr Geblöke lockt feindliche Kreaturen in deine Basis.	■ Der Schneegolem hat Angst vor der Dunkelheit und lässt dich nicht schlafen. Nach drei Nächten spawnen Phantome.

UNSERE HELDEN SIND WIEDER AUF REISEN! ALLERDINGS HABEN SIE SO VIELE GEGENSTÄNDE IN IHRER BASIS GESAMMELT, DASS IHNEN NICHTS ANDERES ÜBRIG BLEIBT, ALS EINE TRUHE MIT SICH ZU FÜHREN!

WÜRDEST DU LIEBER ...

mit einem Maultier, das eine Truhe trägt, im Nether festsitzen

ODER

auf einem Boot mit Truhe in der Oberwelt gefangen sein?

STEVE

Das ist einfach: Ich würde auf dem Maultier mit einer Truhe reisen. Maultiere kommen in jedem Gelände zurecht, sodass man nie einen Umweg nehmen muss.

ALEX

Da wäre ich mir nicht so sicher. Sollte das Maultier in Lava fallen, werden alle Gegenstände in der Truhe durch die Lava zerstört. Mit einem Boot kannst du alles umsegeln.

Aber mit dem Boot kannst du nicht über Land reisen. Du müsstest immer an der Küste entlangsegeln!

An der Küste gibt es viel zu sehen. Außerdem kann ich die Flüsse hinauffahren, um ins Landesinnere vorzudringen.

VARIANTEN

WÜRDEST DU DICH BEI EINER DIESER VARIANTEN ANDERS ENTSCHEIDEN?

MAULTIER IM NETHER	BOOT IN DER OBERWELT
■ Dein Maultier läuft vor Hoglins davon. Du musst dir etwas einfallen lassen, um deine Nahrungsvorräte aufzufüllen.	■ Eine Gruppe Ertrunkener wartet nur darauf, dich unter Wasser zu ziehen, solltest du irgendwo länger als dreißig Sekunden Halt machen.
■ Du freundest dich mit einem Piglin an, mit dem du alle Gegenstände tauschen kannst, die du brauchst.	■ Du hast einen Hilfsgeist, den du damit beauftragen kannst, egal welche Gegenstände zu sammeln.

ALEX UND STEVE HABEN KEINEN MOB, AUF DEM SIE WÄHREND IHRER STREIFZÜGE DURCH DIE OBER- WELT REITEN KÖNNTEN, ALSO TRÄUMEN SIE VOM FLIEGEN.

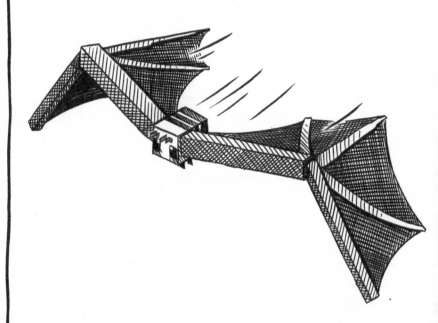

WÄRST DU LIEBER ...

ein Enderdrache   eine Biene mit
mit Bienenflügeln   **ODER**   Enderdrachenflügeln?

Der Enderdrache ist mächtig und furchteinflößend, weil er so groß ist – sein Körper wäre unübersehbar.

Aber könnten Bienenflügel überhaupt den Körper eines Enderdrachens tragen? Mit dem kleinen Bienenkörper und den großen Flügeln wärst du viel wendiger.

Aber eine Biene mit Enderdrachenflügeln sieht albern aus! Mit einem Enderdrachenkörper kann ich Feuer spucken und alle Mobs besiegen.

Ein riesiger Drache mit winzigen Bienenflügeln sieht auch albern aus! Als Biene kann ich wenigstens Honig herstellen!

VARIANTEN

WÜRDEST DU DICH BEI EINER DIESER VARIANTEN ANDERS ENTSCHEIDEN?

ENDERDRACHENKÖRPER	BIENENKÖRPER
■ Du bist in der End-Dimension gefangen und wirst dauernd von anderen Spielern angegriffen.	■ Dein Honig wird dir ständig von anderen gestohlen. Aber wenn du dich wehrst, verlierst du deinen Stachel.
■ Deine kleinen Flügel können deinen riesigen Drachenkörper nicht länger als zehn Sekunden tragen.	■ Deine Flügel sind im Verhältnis zu deinem winzigen Bienenkörper so groß, dass du nicht steuern kannst, in welche Richtung du fliegst.

47

UNSERE ABENTEURER HABEN EINE KARTE GEFUNDEN UND SIND JETZT AUF SCHATZJAGD. ABER WEIL SIE SICH SO SEHR DARAUF KONZENTRIEREN, IHREM KOMPASS ZU FOLGEN, MERKEN SIE NICHT, WIE SIE ERNEUT IN EINE KNIFF-LIGE SITUATION GERATEN.

WÜRDEST DU LIEBER ...

dich in einem Verlies voller Zombies mit nichts weiter als einem Holzschwert wiederfinden

ODER

dich in einer tiefen verlassenen Mine mit nichts weiter als einer Holzspitzhacke verirren?

STEVE

Vielleicht gibt es in der verlassenen Mine nützliche Gegenstände wie Schienen, Fackeln und womöglich sogar Diamanten.

ALEX

Das könnte sein, aber im Verlies ist ganz bestimmt eine Schatztruhe. Vielleicht werde ich mit verzauberten Gegenständen oder Goldbarren belohnt!

Ein Schatz bringt nur etwas, wenn du ihn auch nach Hause bringen kannst. Mit dem Holzschwert kannst du kaum etwas gegen Zombies ausrichten.

Wie viele Zombies können es schon sein? In einer Mine wirst du nicht viel mit einer Holzspitzhacke anfangen können – und du könntest damit nicht einmal Gold, Smaragde oder Diamanten abbauen!

VARIANTEN

WÜRDEST DU DICH BEI EINER DIESER VARIANTEN ANDERS ENTSCHEIDEN?

VERLIES MIT HOLZSCHWERT	MINE MIT HOLZSPITZHACKE
■ Zu den vielen Zombies im Raum gesellen sich jetzt auch noch Babyzombies, und das Licht ist ausgeschaltet!	■ Deine Holzspitzhacke wird gleich zerbrechen, und du hast nichts mehr zu essen!
■ In der Schatztruhe befindet sich ein Gegenstand, den du gesucht hast. Aber wenn du ihn dir nimmst, verdoppeln sich die Zombies.	■ Du findest eine Strecke mit Antriebsschienen und einer Lore, weißt aber nicht, in welche Richtung du fahren sollst – in die eine geht es nach draußen und in die andere in die Lava!

STEVE MÖCHTE IN EINER ANTIKEN STADT NACH SCHÄTZEN SUCHEN. ALEX SCHLÄGT VOR, DASS ER SEIN INVENTAR EINSCHRÄNKEN SOLL, WENN ER SICH TRAUT, WEIL SEIN ABENTEUER DANN NOCH INTERESSANTER WIRD.

WÜRDEST DU LIEBER ...

eine antike Stadt erkunden und nur zwei Wollblöcke mitnehmen

ODER

sie mit zehn Schneebällen betreten?

In antiken Städten leben Wächter. Sie sind zwar blind, bemerken aber jede kleinste Bewegung. Wenn es heikel wird, könnte man einen Wächter ablenken, indem man einen Schneeball wirft.

Es ist gefährlich, die Schneebälle wieder einzusammeln. Vielleicht habe ich sie alle verbraucht, bevor ich überhaupt beim Schatz bin!

Zwei Wollblöcke sind immer noch riskant. Du müsstest sie auf dem Weg abbauen, und wenn du am Rand des Blocks läufst, kann es sein, dass der Sculk-Sensor dich trotzdem bemerkt.

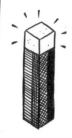

Trotzdem ist die Wahrscheinlichkeit sehr viel größer, dass du dem Wächter gar nicht erst begegnest!

VARIANTEN

WÜRDEST DU DICH BEI EINER DIESER VARIANTEN ANDERS ENTSCHEIDEN?

ZWEI WOLLBLÖCKE	ZEHN SCHNEEBÄLLE
■ Mit nur zwei Wollblöcken kommst du so langsam voran, dass deine Nahrungspunkte gefährlich schrumpfen.	■ Du stolperst durch die Dunkelheit und löst mehrere Sculk-Sensoren aus. Jetzt sind fünf Wächter hinter dir her!
■ Du fällst ständig von deinen Wollblöcken herunter und löst Sculk-Sensoren aus. Bevor du dichs versiehst, steht dir ein Wächter gegenüber!	■ Nachdem du fünf Schneebälle geworfen hast, merken die Wächter, dass sie getäuscht wurden. Deine letzten Würfe musst du jetzt clever einsetzen.

ALEX UND STEVE ERKUNDEN GERADE EIN STRANDBIOM, ALS SICH IHNEN ZWEI NEUE GELEGENHEITEN FÜR ABENTEUER BIETEN. WELCHE SOLLEN SIE WÄHLEN?

WÜRDEST DU LIEBER ...

einem Delfin zu einer Schatztruhe folgen, die von einer Horde Ertrunkener verteidigt wird,

ODER

mithilfe einer Entdeckerkarte zu einem Waldanwesen finden, das von Illagern bewacht wird.

STEVE: Vielleicht führt uns der Delfin zu einer Schatztruhe, in der noch eine Entdeckerkarte liegt. Stell dir mal vor, was das für ein Abenteuer wäre!

ALEX: In Waldanwesen gibt es viel mehr als nur eine Schatztruhe. Dort gibt es seltene Gegenstände!

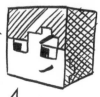

Viel Glück dabei, in einem Waldanwesen zu überleben – es wird von Magiern und Dienern bewacht! Vielleicht finde ich ein Herz des Meeres in einer Schatztruhe.

Schatztruhen sind nicht so leicht zu finden. Selbst wenn dir ein Delfin hilft, musst du vielleicht tagelang im Sand buddeln und dabei auch noch haufenweise Ertrunkene abwehren!

VARIANTEN

WÜRDEST DU DICH BEI EINER DIESER VARIANTEN ANDERS ENTSCHEIDEN?

SCHATZTRUHE	WALDANWESEN
■ Jeder Ertrunkene ist mit einem Dreizack bewaffnet und bereit, ihn auf dich zu werfen.	■ Beim Betreten des Waldanwesens lässt eine Gruppe von Magiern Plagegeister auf dich los.
■ Eine Gruppe wütender, aber echt süßer Axolotls schwärmt um die Ertrunkenen herum und lenkt sie für zwei Minuten von dem Schatz ab.	■ Du befreist eine Schar Hilfsgeister aus einem Käfig. Zum Dank fliegen sie los, um Schätze für dich zu suchen!

STEVE UND ALEX STELLEN SICH VOR, DASS SIE VON EINEM GERISSENEN MAGIER GEFANGEN GENOMMEN WURDEN, DER IHNEN ZWEI MÖGLICHKEITEN ZUR FLUCHT LÄSST. ABER FÜR WELCHE SOLLEN SIE SICH ENTSCHEIDEN?

WÜRDEST DU LIEBER ...

mit einem Feuerzeug gegen einen Creeper kämpfen ODER zehn wütende Bienen mit einer Hacke abwehren?

Ich bin für die Bienen! Zehn Bienen richten bestimmt nicht so viel Schaden an wie ein Creeper, der explodiert!

Aber mit dem Feuerzeug könnten wir den Creeper anzünden und schnell weglaufen, bevor er explodiert.

Ich weiß nicht ... Das ist ziemlich riskant, wenn du mich fragst. Was ist, wenn du nicht schnell genug bist? Die Hacke hat immerhin eine gewisse Reichweite. Damit können wir uns die Bienen vom Hals halten.

Aber Bienen sind schnell. Und selbst wenn wir es schaffen, ein paar von ihnen zu besiegen, müssten wir immer noch gegen die übrig gebliebenen kämpfen!

VARIANTEN

WÜRDEST DU DICH BEI EINER DIESER VARIANTEN ANDERS ENTSCHEIDEN?

CREEPER UND FEUERZUG	WÜTENDE BIENEN UND HACKE
■ Als der Creeper explodiert, ruft das Illager auf den Plan, und sie stürmen die Treppe hinauf.	■ Du schwingst deine Hacke und verfehlst eine Biene. Stattdessen triffst du einen Bienenstock. Jetzt sind drei Bienen mehr hinter dir her!
■ Du rennst in einen Raum voller TNT. Der Creeper-Fluchtplan ist plötzlich um einiges interessanter geworden!	■ Du rennst in einen Raum voller Bienenstöcke - ein falscher Schritt, und du wirst einen weiteren Bienenstock aufscheuchen!

STEVE SCHREIBT EINE GESCHICHTE, UM DEN DORFBEWOHNERKINDERN ZU ERKLÄREN, WARUM SIE NICHT ALLEIN HINAUS IN DIE WILDNIS GEHEN SOLLEN. JETZT MUSS ER NUR NOCH ENTSCHEIDEN, WIE DER KAMPF MIT DEM ENDGEGNER AUSSEHEN SOLL.

WÜRDEST DU LIEBER ...

in einer kompletten Eisenrüstung gegen einen aufgeladenen Creeper kämpfen

ODER

nur mit einer Diamanthose gegen einen normalen Creeper?

ALEX

Kurz bevor ein Creeper explodiert, zischt er. Wenn es also ein normaler Creeper ist, können wir der Explosion vielleicht entkommen.

STEVE

Stimmt, aber eine komplette Eisenrüstung würde mehr Schutz bieten als nur eine Diamanthose!

VARIANTEN

WÜRDEST DU DICH BEI EINER DIESER VARIANTEN ANDERS ENTSCHEIDEN?

AUFGELADENER CREEPER	NORMALER CREEPER
■ Der aufgeladene Creeper ist dir in eine Höhle gefolgt. Er jagt dich durch einen engen Tunnel.	■ Du bist im Wald und verfängst dich in tief hängenden Blättern. So einfach entkommst du dem Creeper nicht.
■ Du kannst dem aufgeladenen Creeper nur entkommen, wenn du ihn in der Dunkelheit abhängst ... aber überall sind Sculk-Sensoren.	■ Um dem Creeper zu entkommen, springst du in eine Schlucht. Aber um wieder hinauszuklettern, fehlt dir die Ausrüstung.

ALEX UND STEVE SIND GERADE VON UNTERSCHIEDLICHEN ABENTEUERN ZURÜCKGEKEHRT, AUF DENEN SIE ES MIT FURCHTEINFLÖßENDEN MONSTERN ZU TUN HATTEN. BEIDE VERSUCHEN, DEN ANDEREN ZU ÜBERTRUMPFEN, UND ÜBERTREIBEN DABEI EIN WENIG.

WÜRDEST DU LIEBER ...

aufwachen, und der Himmel draußen ist voller hungriger Enderdrachen,

ODER

aufwachen, und jemand hat eine Menge Wither in deine Basis beschworen?

ALEX

Wither sind das Allerschlimmste! Sie haben meine Basis komplett zerstört, als sie explodiert sind! Du hast die Enderdrachen immerhin von deiner Basis weglocken können.

STEVE

Ich hatte Glück, dass ich die vielen Enderdrachen dort draußen überlebt habe! Immerhin besteht die Chance, dass die Wither lang genug mit deiner Basis beschäftigt wären, damit du entkommen kannst!

VARIANTEN

WÜRDEST DU DICH BEI EINER DIESER VARIANTEN ANDERS ENTSCHEIDEN?

ENDERDRACHE	WITHER
■ Zum Glück bist du zufällig in voller Diamantrüstung eingeschlafen.	■ Zufällig hast du einen Trank der Stärke in deinem Inventar.
■ Die Enderdrachen laden dich zu ihrem Straßenfest ein, bei dem es auch ein Dorfbewohner-all-you-can-eat-Büfett gibt.	■ Die Wither schmeißen eine Einweihungsparty für dich und laden alle deine Freunde ein – eine Bombenstimmung!

59

ALEX UND STEVE STEHEN AN DER GRENZE ZWISCHEN ZWEI BIOMEN UND KÖNNEN SICH NICHT ENTSCHEIDEN, IN WELCHEM SIE IHR NÄCHSTES ABENTEUER BESTEHEN MÖCHTEN.

WÜRDEST DU LIEBER ...

Bergbau in den verschneiten Bergen betreiben

ODER

nach Schätzen in der Wüste suchen?

STEVE: In den verschneiten Bergen gibt es viel Smaragderz. Dort lässt sich prima Bergbau betreiben.

ALEX: Aber man muss ganz schön lange klettern, bis man oben ist. Die Wüste ist flach, und man kann Pyramiden schon von Weitem sehen!

STEVE: In der Wüste spawnen aber Wüstenzombies. Diese Zombies überleben auch bei Tageslicht. Sie klingen grauenhaft!

ALEX: Stimmt, aber in den verschneiten Bergen gibt es keine Bauwerke, dafür aber viele Streuner! Pyramidenkisten können nützliche Gegenstände wie Sättel enthalten – da lohnt es sich, gegen ein paar Wüstenzombies zu kämpfen!

VARIANTEN

WÜRDEST DU DICH BEI EINER DIESER VARIANTEN ANDERS ENTSCHEIDEN?

VERSCHNEITE BERGE	WÜSTENBIOM
■ Du findest haufenweise Smaragde unter der Erde, aber weil du deine gesamte Ausrüstung benutzt hast, kannst du dich nicht wieder nach draußen graben.	■ Du findest eine Wüstenpyramide, in der du alle Beute findest, die du dir erträumen kannst. Aber du hast nicht genug Essen für den Rückweg eingepackt.
■ Du entdeckst einen Weg, der wieder nach oben führt – aber Moment, was hat dich getroffen? Ein vergifteter Pfeil! Der Ausgang wird von Streunern bewacht, und du bist jetzt mit Langsamkeit infiziert.	■ Du wirst von einer Gruppe Wüstenzombies angegriffen. Du überlebst den Angriff, bist aber von Hunger betroffen. Das Positive an der Sache: Du hast jetzt genug zu essen, allerdings nur verrottetes Fleisch.

ALEX UND STEVE HABEN SICH GESCHICHTEN VON VERGAN- GENEN ABENTEUERN ERZÄHLT. BEIDE FINDEN, DASS ES AM SCHLIMMSTEN WÄRE, IHR EIGENES ABENTEUER NOCH MAL ZU ERLEBEN. KANNST DU IHNEN HELFEN, IHREN STREIT ZU KLÄREN?

WÄRST DU LIEBER ...

in einem Dorf, das überfallen wird,　　ODER　　in einem ungeschütz- ten Dorf während eines nächtlichen Gewitters?

Gewitter sind gefährlich. Ein Blitz kann dich auf einen Schlag die Hälfte deiner Herzen kosten.

ALEX

STEVE

Aber vor einem Raubzug wirst du nur durch das Läuten der Dorfglocke gewarnt.

Aber Mobs können sich durch Blitze verändern. Dorfbewohner verwandeln sich in Hexen und Schweine in Zombie-Piglins. Und hoffentlich wird dabei kein Creeper aufgeladen!

Raubzüge können bis zu acht Wellen andauern, und jedes Mal kommen schwierigere Monster. Es könnte sogar sein, dass du Verwüster und Magier besiegen musst!

VARIANTEN

WÜRDEST DU DICH BEI EINER DIESER VARIANTEN ANDERS ENTSCHEIDEN?

RAUBZUG	DORF BEI GEWITTER
■ Du hast den Raubzug gerade überlebt, als ein anderer Spieler mit dem Effekt „Böses Omen" vorbeikommt und NOCH einen Raubzug auslöst!	■ Es donnert, und ein Blitz trifft eine Horde Creeper. Vier Skelettreiter und vier geladene Creeper tauchen auf.
■ Als du versuchst, einen Plünderer zu besiegen, triffst du versehentlich einen Eisengolem. Er wird wütend und macht jetzt Jagd auf dich, während du immer noch gegen die Monster vom Raubzug kämpfst.	■ Der Sturm ist vorbei, und du hast überlebt – gerade so! Aber viele Dorfbewohner wurden vom Blitz getroffen, und jetzt wimmelt das Dorf nur so von Hexen.

ALEX UND STEVE HABEN ÜBER NACHT UNTERSCHLUPF IN EINER KLEINEN HÖHLE GEFUNDEN. DA SIE SONST NICHTS ZU TUN HABEN, FANGEN SIE EINE SCHRÄGE DISKUSSION ÜBER MOBS AN.

HÄTTEST DU LIEBER ...

Zombies als Verbündete, aber dafür bewerfen dich Hühner mit faulen Eiern,

ODER

Plünderer als Freunde, aber dafür furzen Schweine dich an?

Nachts wären Zombies als Verbündete sehr nützlich. Dann würden uns weniger Monster angreifen. Außerdem will ich nicht von einem Schwein angefurzt werden!

Aber denk doch nur an all die Plünderer-Außenposten, die wir aufsuchen könnten, wenn sie unsere Freunde wären. Von einem faulen Ei getroffen zu werden, klingt grässlich.

VARIANTEN

WÜRDEST DU DICH BEI EINER DIESER VARIANTEN ANDERS ENTSCHEIDEN?

ZOMBIES ALS VERBÜNDETE	PLÜNDERER ALS FREUNDE
■ Wenn du von einem faulen Ei getroffen wirst, bekommst du den Schwäche-Effekt.	■ Wenn ein Schwein im Radius von sechs Blöcken von dir furzt, bekommst du den Übelkeits-Effekt.
■ Ein Babyzombie hält dich für sein Elternteil und kämpft tapfer gegen Monster für dich, solange du es am Ende der Nacht ins Bett bringst.	■ Ein Plünderer verliebt sich in dich und bringt dir jeden Morgen ein Geschenk, um deine Zuneigung zu gewinnen. Dafür hast du nie Ruhe.

MITTEN IN DER NACHT STELLEN ALEX UND STEVE FEST, DASS SIE NUR NOCH WENIGE GESUNDHEITSPUNKTE HABEN UND IHRE RESSOURCEN ERSCHÖPFT SIND. DA ES IN DER HÖHLE SONST NICHTS ZU TUN GIBT, LENKEN SIE SICH MIT EINER DISKUSSION AB.

WÜRDEST DU LIEBER ...

erst wieder etwas trinken können, wenn du ein rosa Schaf findest,

ODER

erst wieder essen können, wenn du einen braunen Panda entdeckst?

Ich bin dafür, nach dem rosa Schaf zu suchen. Braune Pandas sind sehr selten, und ich krieg Hunger!

STEVE

Rosa Schafe gibt es auch nicht gerade oft. Was ist, wenn du etwas trinken musst, bevor wir eins finden? Du kannst länger ohne Essen überleben als ohne Wasser!

VARIANTEN

WÜRDEST DU DICH BEI EINER DIESER VARIANTEN ANDERS ENTSCHEIDEN?

ROSA SCHAF	BRAUNER PANDA
■ Egal wohin du gehst, du hörst immer das Rauschen eines Wasserfalls – das macht dich megadurstig, aber du kannst nichts trinken!	■ Während du nach dem Panda suchst, folgt dir ein Dorfbewohner, der andauernd frische Kekse backt – du riechst nichts anderes!
■ Über das Rauschen des Wasserfalls hinweg hörst du nicht, wie Mobs sich anschleichen. Sie überraschen dich ständig.	■ Der Dorfbewohner erfindet ein Lied über Kekse, das nicht nur total nervig ist, sondern auch noch Mobs in der Nähe anzieht.

67

ALEX UND STEVE WOL-
LEN AUF ERKUNDUNGS-
TOUR GEHEN. ALLER-
DINGS MACHEN SIE SICH
SORGEN, WEIL SIE VON
UMHERSTREIFENDEN
ILLAGERN GEHÖRT
HABEN. SIE KÖNNEN
IHRE LIEB GEWONNENEN
MOBS NICHT EINFACH
ZURÜCKLASSEN.

WÜRDEST DU LIEBER ...

eine Gruppe von
Ziegen durch ein
zerklüftetes
Bergbiom führen

ODER

ein Pferd durch
einen Dschungel
mit vielen
Flüssen?

Ziegen zu hüten, ist gar nicht so einfach, aber dafür sind sie ausgezeichnete Kletterer. Eine Reise durch die Berge ist also vielleicht gar nicht so schwierig.

Solange du aufpasst, wo du hintrittst. Auf den zerklüfteten Gipfeln gibt es viele gefährliche Klippen. Du kannst den Ziegen nicht den Rücken kehren, sonst schubsen sie dich vielleicht runter!

Die Route durch den Dschungel ist vielleicht nicht so gefährlich, dauert aber ziemlich lange. Du wirst oft wegen tief hängender Äste absteigen müssen.

Die Flüsse zu überqueren, wird auch nicht gerade leicht. Wir haben kein Boot, um das Pferd ans andere Ufer zu bringen.

VARIANTEN

WÜRDEST DU DICH BEI EINER DIESER VARIANTEN ANDERS ENTSCHEIDEN?

MIT ZIEGEN DURCH DIE BERGE	MIT EINEM PFERD DURCH DSCHUNGEL UND FLÜSSE
■ Eine Ziege in deiner Herde schreit ständig und versucht dich jedes Mal, wenn du ihr den Rücken zukehrst, von der Bergkante zu schubsen.	■ Das Pferd ist wasserscheu und weigert sich, in die Nähe von Wasser zu gehen. Du musst also über jeden Fluss eine Brücke bauen, um weiterzukommen.
■ Die Ziege schreit die ganze Nacht hindurch, und der Rest der Herde fängt an zu blöken, sodass alle Monster in der Nähe angelockt werden.	■ Die vielen Brücken ebnen allen Monstern einen Weg durch den Dschungel, sodass sie dir nachts folgen und du ihnen nicht entkommen kannst.

ALEX UND STEVE PLANEN, IN EINE BASTION EINZUDRINGEN UND SICH DANN ZUM HANDELN HEIMLICH IN EIN DORF ZU SCHLEICHEN, DAS SIE ZUVOR VERÄRGERT HABEN. DAMIT SIE NIEMAND ERKENNT, BRAUCHEN SIE EINE RICHTIG GUTE VERKLEIDUNG - ABER WAS, WENN SIE DARIN FÜR IMMER STECKEN BLEIBEN?

WÜRDEST DU LIEBER ...

in der Gestalt eines Piglins feststecken ODER für immer wie ein Dorfbewohner reden?

Diese Piglin-Outfits sehen nicht gerade bequem aus. Aber es könnte Spaß machen, wie ein Dorfbewohner zu reden – vielleicht könnte ich dann alle Dorfbewohner verstehen.

Aber dich könnten nur Dorfbewohner verstehen – wir würden uns nicht mehr untereinander verständigen können. Stell dir mal vor, wie einfach es wäre, als Piglin verkleidet eine Bastion zu plündern!

Dann müssten wir uns über Emotes oder mit Schildern verständigen! Wenn du in der Gestalt eines Piglins feststeckst, würde dich kein Dorf je wieder aufnehmen – Eisengolems würden dich sofort angreifen!

VARIANTEN

WÜRDEST DU DICH BEI EINER DIESER VARIANTEN ANDERS ENTSCHEIDEN?

AUSSEHEN WIE EIN PIGLIN	REDEN WIE EIN DORFBEWOHNER
■ Eine Gruppe Piglins will dich aufnehmen, aber es gibt eine Aufnahmeprüfung: Du musst einen Hoglin fürs Abendessen jagen!	■ Die Dorfbewohner akzeptieren dich und geben dir sogar eine Robe, die zu deinem Beruf passt: Herzlichen Glückwunsch, du bist jetzt ein Dorfbewohner!
■ Damit du unerkannt bleibst, entwickelst du die Goldbesessenheit der Piglins. Du erlaubst deinen Piglin-Freunden sogar, dein Haus nach Gold zu durchsuchen.	■ Es fällt dir schwer einzuschlafen, darum wanderst du nachts rastlos umher und ziehst eine Zombiebelagerung an, die das Dorf einzunehmen droht.

ALEX DENKT DARÜBER NACH, WAS WOHL DER SCHLIMMSTE ORT WÄRE, UM ZU SPAWNEN. DAS HÄNGT NATÜRLICH DAVON AB, WER ODER WAS DU BIST!

WÄRST DU LIEBER ...

ein Enderman, der im Ozean spawnt, **ODER** ein Skelett, das unter der Wüstensonne spawnt?

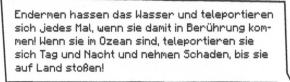

Endermen hassen das Wasser und teleportieren sich jedes Mal, wenn sie damit in Berührung kommen! Wenn sie im Ozean sind, teleportieren sie sich Tag und Nacht und nehmen Schaden, bis sie auf Land stoßen!

ALEX

STEVE

Skelette sind untot und fangen in der Sonne Feuer. In der Wüste gibt es nicht viel Schatten. Die Chancen sind also gering, dass du bis zum Einbruch der Nacht überlebst.

VARIANTEN

WÜRDEST DU DICH BEI EINER DIESER VARIANTEN ANDERS ENTSCHEIDEN?

ENDERMAN IM OZEAN	SKELETT IN DER WÜSTE
■ Der Enderman hat eine spezielle Badehose, die ihn vor Schaden schützt, aber sich auch so einschneidet, dass er langsamer wird.	■ Das Skelett wickelt sich von Kopf bis Fuß mit Klopapier ein, damit es nicht in der Sonne verbrennt. Aber dadurch stolpert es häufig.
■ Der Enderman wird zu einem ertrunkenen Enderman. Er sucht nach Unterwasserruinen, die er plündern kann.	■ Das Skelett wird zu einer Mumie – einer neuen Kreatur, die verhindert, dass Spieler in der Wüste schlafen können.

STEVE HAT GERADE SEINE NOT-
UNTERKUNFT FÜR DEN ABEND
FERTIGGESTELLT. ER
WÜNSCHTE ECHT, DIE NACHT
WÄRE NICHT SO FURCHT-
EINFLÖßEND. ER FRAGT
SICH, OB DIE MONSTER
DA DRAUßEN ES EIN-
FACHER HABEN.

WÄRST DU LIEBER ...

ein Zombie, der
Angst vor der   ODER
Dunkelheit hat,

ein Ertrunkener,
der Angst vor
Fischen hat?

ALEX: Zombies leben im Dunkeln. Sie verbrennen, wenn sie ins Sonnenlicht treten.

Stimmt! Aber sie können in einer beleuchteten Höhle leben. Ertrunkene verbringen den ganzen Tag unter Wasser, umgeben von Fischen!

STEVE: Aber nachts können sie herauskommen und vor den Fischen fliehen. Als Zombie hättest du zu große Angst, irgendwohin zu gehen, – du würdest für immer in deiner Höhle festsitzen!

In der Höhle wäre ich wenigstens glücklich und hätte nicht jeden Tag eine Heidenangst vor Fischen.

VARIANTEN

WÜRDEST DU DICH BEI EINER DIESER VARIANTEN ANDERS ENTSCHEIDEN?

ZOMBIE, DER ANGST VOR DER DUNKELHEIT HAT	ERTRUNKENER, DER ANGST VOR FISCHEN HAT
■ Die anderen Zombies sind gekränkt, weil du die Dunkelheit nicht magst, und rotten sich zusammen, um dein Licht auszupusten.	■ Um gegen deine Angst anzukämpfen, stellst du dir vor, dass alle Fische pinkfarbene Tutus tragen.
■ Du erfindest einen Trank der Liebe, um deine Angst zu bekämpfen, verliebst dich aber stattdessen in den Mond. Jetzt jagst du in der Oberwelt der Nacht hinterher, obwohl sie dir immer noch Angst macht!	■ Nachdem du die Fische wegen der eingebildeten Tutus zu oft ausgelacht hast, wenden sie sich gegen dich. Jetzt versammeln sie sich jedes Mal, wenn sie dich sehen, und greifen dich an.

ALEX UND STEVE RENNEN PANISCH
UMHER. DIE HÖHLE, DIE SIE NEUER-
DINGS ZU IHRER BASIS ERKLÄRT
HABEN, DROHT EINZUSTÜRZEN.
IHNEN BLEIBT NUR NOCH ZEIT,
ENTWEDER IHRE VERZAUBERUNGS-
BIBLIOTHEK ODER IHREN BRAURAUM
EINZUPACKEN.

WÜRDEST DU LIEBER ...

Dinge verzaubern,
aber keine Tränke
brauen können,

ODER

jeden Trank brauen,
aber nie wieder
Dinge verzaubern
können?

Schnell, hilf mir, alle Tränke und Glasflaschen einzusammeln! Es hat Wochen gedauert, all die seltenen Zutaten für ihre Herstellung zu finden.

Nein, der Verzauberungsraum ist wichtiger. Ich habe ewig gebraucht, um all diese Bücherregale zu sammeln und aufzubauen!

Wen interessieren schon Bücher? Ich musste gegen Lohen kämpfen, um an die Lohen-Ruten für den Braustand zu kommen. Denen möchte ich nicht noch einmal begegnen!

Lohen?! Ich musste unzählige Blöcke abbauen, bis ich den Diamanten für den Zaubertisch gefunden hatte. Und ich musste noch mehr Diamanten finden, um Obsidian abbauen zu können!

VARIANTEN

WÜRDEST DU DICH BEI EINER DIESER VARIANTEN ANDERS ENTSCHEIDEN?

ALLES VERZAUBERN KÖNNEN	JEDEN TRANK BRAUEN KÖNNEN
■ Du kannst jeden Gegenstand verzaubern, aber dein Essen ist mit Haltbarkeit verzaubert, sodass es doppelt so lange dauert, es zu essen, und es halb so schmackhaft ist.	■ Du kannst alles als Zutaten für Tränke verwenden, aber du musst jede neue Zutat, die du findest, probieren – sogar die echt ekligen!
■ Du kannst eine Verzauberung der Stufe zehn bekommen, aber sie ist so mächtig, dass du magisch von Lava angezogen wirst.	■ Du kannst jetzt leckere und essbare Tränke herstellen, aber sie enthalten alle schleimige Spinnenaugen.

STEVE UND ALEX WURDEN ZU EINER KOSTÜMPARTY MIT DEM MOTTO MONSTER EINGELADEN. STEVE KANN SICH NICHT ENTSCHEIDEN, WAS ER TRAGEN SOLL.

HÄTTEST DU LIEBER ...

die Hörner eines Wächters

ODER

die Stoßzähne eines Piglins?

STEVE

Ich nehme die Stoßzähne eines Piglins. Mit den Stoßzähnen sehe ich furchterregend aus!

ALEX

Sind das nicht zusätzliche Zähne? Ich verbringe schon so viel Zeit damit, meine eigenen zu putzen! Die Wächterhörner dagegen sehen gemeingefährlich aus!

Die Wächterhörner müsstest du auch putzen. Stell dir nur vor, wie viele Spinnweben daran hängen bleiben werden!

Stimmt, aber wenn ich plötzlich Stoßzähne habe und das nicht gewohnt bin, würde ich ganz schön viel sabbern!

VARIANTEN

WÜRDEST DU DICH BEI EINER DIESER VARIANTEN ANDERS ENTSCHEIDEN?

WÄCHTERHÖRNER	PIGLIN-STOSSZÄHNE
■ Die Wächterhörner verleihen dir ein unglaublich gutes Gehör, aber wegen der stöhnenden Zombies draußen kannst du nicht einschlafen.	■ Du kannst dich einfach nicht an die neuen Stoßzähne gewöhnen und nicht trinken, ohne zu kleckern. Darum trägst du jetzt ein Lätzchen.
■ Du gehörst jetzt zur Truppe der Hörner-Mobs und kannst andere Mobs mit Hörnern zu Hilfe rufen.	■ Du gründest eine A-cappella-Band mit den Piglins. Ihr seid jetzt so eng befreundet, dass ihr überallhin gemeinsam reist.

ALEX UND STEVE SIND BEREIT FÜR EIN WEITERES ÜBERLEBENS-ABENTEUER. ABER SIE BRAUCHEN DEINE HILFE, UM SICH ZU ENTSCHEIDEN, WAS SIE ALS NÄCHSTES AUSPROBIEREN SOLLEN!

HÄTTEST DU LIEBER ...

unendlich viele Tränke in deinem Inventar, kannst dafür aber nichts anderes sammeln, **ODER** unendlich viele Diamanten, kannst aber keine Erfahrungspunkte sammeln?

Wenn ich nichts anderes als Tränke in meinem Inventar hätte, wäre das echt schwierig. Wie soll ich ohne Ausrüstung überleben? Hätte ich unendlich viele Diamanten, könnte ich mit Dorfbewohnern handeln und alles bekommen, was ich bräuchte!

ALEX

STEVE

Leichter gesagt als getan! Zuerst musst du die richtigen Dorfbewohner finden. Außerdem wirst du nie genug Erfahrung haben, um irgendetwas verzaubern zu können. Langweilig!

Aber was machst du mit nur Tränken?

Überleben natürlich! Mit Tränken der Unsichtbarkeit werde ich unbemerkt umherstreifen, mit Tränken des Schadens Mobs besiegen und mit Tränken der Regeneration meine Gesundheit erhalten!

VARIANTEN

WÜRDEST DU DICH BEI EINER DIESER VARIANTEN ANDERS ENTSCHEIDEN?

UNENDLICH VIELE TRÄNKE	UNENDLICH VIELE DIAMANTEN
■ Du kannst nur einen Trank pro Tag verwenden.	■ Du kannst nur mit einem Dorfbewohner pro Tag handeln.
■ Du kannst Tränke nur nach dem Zufallsprinzip auswählen – du hast keine Ahnung, was du trinkst, bis die Wirkung einsetzt.	■ Dein Glück kommt Schatzsuchern und Banditen zu Ohren. Wenn du länger als einen Tag an einem Ort bleibst, greifen sie dich an.

STEVE BESCHWERT SICH ÜBER SEINEN TAG. ER HAT DIE GANZE ZEIT AN SEINEM NEUEN BAUWERK GEARBEITET. ABER SEINE ARBEIT WURDE IMMER WIEDER VON EINEM ENDERMAN ZUNICHTEGEMACHT, DER IHM SEINE BLÖCKE GEKLAUT HAT. ALEX HÖRT IHM NICHT ZU. SIE HAT HEUTE SCHON GENUG GEPLAPPER VON EINEM WANDERNDEN HÄNDLER ERTRAGEN MÜSSEN.

HÄTTEST DU LIEBER ...

dass dir ein Enderman folgt und deine Blöcke klaut, wenn du anfängst zu bauen,

ODER

dass dich ein schwatzhafter wandernder Händler auf all deinen Reisen begleitet?

STEVE

Endermen kommen einem immer in die Quere! Jedes Mal, wenn ich glaube, fertig zu sein, sehe ich, wie einer einen Block von meinem Haus wegnimmt.

Hat dich schon mal ein wandernder Händler verfolgt? Die sind echt hartnäckig. Sie wollen unbedingt, dass du dir ihre Waren ansiehst, egal ob du interessiert bist oder nicht.

ALEX

Ich kann den Enderman auch nicht wegschicken. Wenn ich ihm in die Augen sehe, greift er mich an!

Noch nerviger sind die Lamas des Händlers. Ich wollte nur etwas Holz hacken, und dabei ist mir eines von ihnen zu nahe gekommen. Jetzt hören sie nicht auf, mich anzuspucken!

VARIANTEN

WÜRDEST DU DICH BEI EINER DIESER VARIANTEN ANDERS ENTSCHEIDEN?

KLAUENDER ENDERMAN	SCHWATZHAFTER HÄNDLER
■ Der Enderman tauscht wahllos ein paar Blöcke gegen verseuchte aus. Das verursacht eine Silberfischplage in deiner neuen Basis.	■ Der schwatzhafte Händler wird immer lauter. Du kannst nicht mehr hören, ob sich Monster nähern.
■ Mit den geklauten Blöcken baut der Enderman sich ein eigenes Haus neben deinem. Jetzt wohnt eine ganze Enderman-Familie nebenan.	■ Der wandernde Händler will verzweifelt, dass du seine Waren kaufst. Wenn du es nicht tust, wirft er mit Schneebällen und drängt dich in die Richtung von Monstern.

ALEX UND STEVE SIND DEN CREEPERN NUR KNAPP ENTKOMMEN. ALS SIE WIEDER SICHER IN IHRER BASIS SIND, FRAGEN SIE SICH ...

HÄTTEST DU LIEBER ...

eine endlose Armee von gezähmten Katzen

ODER

unendlich viele verbündete Creeper zur Verfügung?

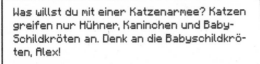

Mit einer Katzenarmee müsste ich mir nie Sorgen um Creeper machen.

ALEX

Was willst du mit einer Katzenarmee? Katzen greifen nur Hühner, Kaninchen und Baby-Schildkröten an. Denk an die Babyschildkröten, Alex!

STEVE

Okay, wahrscheinlich könnte ich keine Baby-schildkröten haben. Aber das ist es mir wert! Katzen vertreiben sowohl Creeper als auch Phantome. Ich müsste nie wieder schlafen.

Ich hätte lieber Creeper unter meiner Kontrolle. Ich könnte sie im Bergbau einsetzen. Und wenn sich jemand an meiner Basis zu schaffen macht, kann ich sie ihnen hinterherschicken!

VARIANTEN

WÜRDEST DU DICH BEI EINER DIESER VARIANTEN ANDERS ENTSCHEIDEN?

KATZENARMEE	ZEHN VERBÜNDETE CREEPER
■ Deine Katzenpopulation macht Katzenliebhaber in der ganzen Oberwelt auf sich aufmerksam. Hexen kommen zu deiner Basis, um deine kleinen Fellknäuel zu stehlen.	■ Du kannst nicht zwischen freundlichen und feindlichen Creepern unterscheiden. Wenn du den falschen Creeper angreifst, lassen dich alle anderen im Stich.
■ Jeden Morgen haben deine Katzen dir eine Menge verrottetes Fleisch als Geschenk dagelassen. Du kannst deine Basis erst verlassen, wenn du alles aufgeräumt hast.	■ Die Creeper zischen die ganze Nacht in voller Lautstärke. Schlafen ist so gut wie unmöglich.

ALEX UND STEVE HABEN ENDLICH EIN SELTENES UND MÄCHTIGES TRÄNKEBUCH GEFUNDEN. DAMIT KÖNNEN SIE IHRE BLOCKGESTALT IN AUSSERGEWÖHNLICHE MOBS VERWANDELN. DIE FRAGE IST NUR, IN WELCHE?

WÄRST DU LIEBER ...

in der Lage, dich nach Belieben in einen superschnellen Baby-zombie zu verwandeln

ODER

in einen superstarken Eisengolem?

ALEX

Wenn ich so stark wie ein Eisengolem wäre, könnte mich nichts mehr aufhalten.

Nichts – außer niedrige Konstruktionen! Die meisten Gebäude wirst du mit deiner Höhe von drei Blöcken nicht betreten können. Als winziger Babyzombie schlüpfe ich dagegen leicht durch jeden Spalt.

STEVE

Ich wette, ich kann Obsidian mit meinem superstarken Körper mit nur ein paar Schlägen abbauen. Vielleicht kann ich sogar Grundgestein abbauen!

Welches Reittier kann einen Eisengolem tragen? Ich kann auf einem Huhn reiten und komme so noch schneller voran!

VARIANTEN

WÜRDEST DU DICH BEI EINER DIESER VARIANTEN ANDERS ENTSCHEIDEN?

SCHNELLER BABYZOMBIE	STARKER EISENGOLEM
■ Wenn du zu lange auf einem Huhn reitest, wird es sich weigern, dich weiter zu tragen, und dich mit Eiern bewerfen, wenn du in seine Nähe kommst.	■ Wenn du nass wirst, rostet dein Eisenkörper. Bei Regen kannst du nur halb so schnell laufen.
■ Wenn du zu lange ein Babyzombie bist, wird sich dein Körper dauerhaft in einen Zombie verwandeln.	■ Wenn du zu lange ein Eisengolem bist, wird dein Körper rissig, und du wirst dich nicht mehr zurückverwandeln können.

87

ALEX UND STEVE ERKUNDEN EIN SUMPFBIOM. SIE ENTDECKEN EINE HEXENHÜTTE UND BESCHLIEßEN, SIE SICH NÄHER ANZUSCHAUEN. AUF DEM TISCH DRINNEN FINDEN SIE EINE FEDER UND EIN BUCH, IN DEM DIE HEXE SELTSAME FRAGEN NOTIERT HAT.

HÄTTEST DU LIEBER ...

einen Froschkopf
mit Hexenkörper

ODER

einen Hexenkopf
mit Froschkörper?

STEVE

Warte! Wenn ich den Kopf eines Frosches hätte, müsste ich dann kleine Schleime essen? Eklig!

ALEX

Denk an die coolen Tränke, die du mit dem Körper einer Hexe brauen und werfen könntest!

Ich würde trotzdem den Froschkörper wählen. Wie hoch ich springen könnte!

Ich hätte lieber eine lange, klebrige Froschzunge. Das wäre nützlich, um Dinge von weiter her zu holen.

VARIANTEN

WÜRDEST DU DICH BEI EINER DIESER VARIANTEN ANDERS ENTSCHEIDEN?

HEXENKÖRPER MIT FROSCHKOPF	FROSCHKÖRPER MIT HEXENKOPF
▪ Immer wenn du einen kleinen Schleim siehst, kannst du an nichts anderes mehr denken, bis du ihn verschlungen hast.	▪ Jedes Mal, wenn es in deinem Biom einen Raubzug gibt, wirst du zusammen mit den Illagern zum Kampf gerufen.
▪ Du trinkst einen speziellen Trank der Stärke und kannst dich jetzt mithilfe deiner Zunge von Baum zu Baum schwingen.	▪ Du erfindest einen Trank der Tarnung, mit dem du deine Körperfarbe wie ein Chamäleon nach Belieben ändern kannst.

STEVE UND ALEX STREITEN DARÜBER, WER DER BESSERE DRACHENTÖTER IST.

BEIDE STELLEN KÜHNE BEHAUPTUNGEN ZU IHREN FÄHIGKEITEN AUF. ABER WIE WÜRDEST DU LIEBER GEGEN DEN ENDERDRACHEN KÄMPFEN?

WÜRDEST DU LIEBER ...

nur mit einem Trank der Stärke und ohne Waffen kämpfen

ODER

mit einem Bogen, der mit Unendlichkeit verzaubert ist, aber du bist von Übelkeit befallen?

STEVE

Sobald der Enderdrache in meine Nähe fliegt, werde ich ihm so fest mit der Faust auf die Nase hauen, dass er mich doppelt sieht.

Es ist nicht einfach, den Enderdrachen aus der Nähe zu schlagen! Mit meinem Bogen kann ich unendlich viele Pfeile abschießen, bis er besiegt ist.

ALEX

Du wirst nicht mit vielen Pfeilen ins Ziel treffen, wenn dir schlecht ist – du siehst nur verschwommen!

Ich habe einen Unendlichkeits-Zauber – ich werde einfach weiterschießen! Selbst mit einem Trank der Stärke kann es tödlich sein, einem Enderdrachen zu nahe zu kommen!

VARIANTEN

WÜRDEST DU DICH BEI EINER DIESER VARIANTEN ANDERS ENTSCHEIDEN?

TRANK DER STÄRKE	MIT UNENDLICHKEIT VERZAUBERTER BOGEN
▪ Jedes Mal, wenn du den Enderdrachen haust, fegt er dich mit einem Schwanzschlag quer durch die Arena.	▪ Jedes Mal, wenn du einen Pfeil abschießt und den Enderdrachen verfehlst, hält deine Übelkeit zehn Ticks länger an.
▪ Du gibst den Faustkampf auf und fängst an, Breakdance zu tanzen. Jetzt kämpft ihr in einem epischen Tanzwettbewerb gegeneinander, und der Enderdrache kennt einige Killer-Moves!	▪ Sobald deine Übelkeit nachlässt, siehst du wieder klar: Gewalt ist keine Lösung. Du solltest singen! Der Enderdrache hat erstaunliche Lungen!

STEVE UND ALEX GÄHNEN UND MACHEN SICH BEREIT, SCHLAFEN ZU GEHEN. DAS DUO HAT GERADE ZWEI ABENTEUER HINTEREINANDER BESTANDEN, UND KEINES DAVON VERLIEF WIRKLICH NACH PLAN. IM RÜCKBLICK HÄTTEN SIE WOHL NUR EINS IN ANGRIFF NEHMEN SOLLEN.

WÄRST DU LIEBER ...

von Grabmüdigkeit betroffen, während du ein Ozeanmonument erkundest,

ODER

vom Schweben, während du eine Endsiedlung erkundest?

Diese Grabmüdigkeit hat mich echt ausgebremst! Ich wollte von oben ins Monument eindringen, aber ich konnte das Prismarin mit diesem schlechten Effekt nicht abbauen.

Es ist beängstigend, über die Leere im Ende zu schweben. Der einzige Weg führt nach unten! Unter Wasser willst du wenigstens nach oben.

Als du noch auf dem Boden warst, hättest du kämpfen können – diese Grabmüdigkeit macht meine Angriffe langsamer und mich verwundbar!

Mit einem Eimer Milch hättest du deinen Effekt immerhin entfernen können. Das hätte auch bei mir funktioniert, aber in der Luft war es leider zu spät dafür!

VARIANTEN

WÜRDEST DU DICH BEI EINER DIESER VARIANTEN ANDERS ENTSCHEIDEN?

GRABMÜDIGKEIT IN EINEM OZEANMONUMENT	SCHWEBEN IN EINER ENDSIEDLUNG
■ Du lässt deine Haustierkuh im Boot. Aber sie ist eine ängstliche Kuh, und wenn du sie länger als dreißig Ticks allein lässt, bringt sie das Boot zum Kentern.	■ Du hast eine Kuh mit ins Ende gebracht, aber leider hat der Enderdrache sie sich gleich einverleibt. Immerhin konntest du sie vorher noch melken!
■ Delfine kommen und vertreiben die Wächter, doch dadurch werden die Wächterältesten auf dich aufmerksam.	■ Heldenhaft beschließen die Endermen, dich aus der Luft zu pflücken. Sie teleportieren dich acht Blöcke weit weg – womöglich über einen Abgrund!

ALEX UND STEVE KEHREN AUS DER
END-DIMENSION ZURÜCK. NACHDEM SIE
NUN SOWOHL IM ENDE ALS AUCH IM
NETHER WAREN, ÜBERLEGEN SIE, WO
SIE LIEBER FESTSITZEN WÜRDEN.

WÜRDEST DU LIEBER ...

im Ende feststecken
und immer wieder
gegen den Ender-
drachen kämpfen

ODER

im Nether gefangen
sein und ständig von
einer Gruppe Piglin-
Grobiane gejagt
werden?

STEVE

Der Enderdrache ist eines der furchterregendsten Monster im Spiel – mal ganz abgesehen davon, dass er Feuer speit, kann er fliegen!

Aber es ist einfacher, sich vor einem Monster als vor mehreren zu verstecken.

ALEX

Aber ist es nicht schlimmer, immer wieder gegen dasselbe Monster kämpfen zu müssen? Der Nether ist größer, und man kann besser weglaufen. Die Insel des Enderdrachen ist zwar auch groß, aber dafür von Endermen bewohnt.

Solange ich meinen Kürbiskopf aufhabe, lassen sie mich in Ruhe. Wenn du versuchst, dich im Nether zu verstecken, wirst du nur auf noch mehr Mobs und Gefahren stoßen – ganz zu schweigen von der Lava, wenn du nicht auf den Weg achtest!

VARIANTEN

WÜRDEST DU DICH BEI EINER DIESER VARIANTEN ANDERS ENTSCHEIDEN?

ENDERDRACHE	PIGLIN-GROBIANE
▪ Die Endermen lassen dich in Ruhe, weil du einen Kürbiskopf trägst. Aber dadurch bekommt der Enderdrache Hunger auf Kürbis und Spielerpastete!	▪ Du freundest dich mit einem Schreiter an, mit dem du dich durch den Nether bewegst. Aber immer wenn du auf ihm reitest, können die Piglin-Grobiane dich finden.
▪ Jedes Mal, wenn du den Enderdrachen besiegst, öffnet sich ein End-Portal, und du hast gerade genug Zeit, um dir ein bisschen Beute zu schnappen.	▪ Du sammelst genug Lohenruten, um einen Braustand zu bauen und Tränke zu brauen, mit denen du die Piglin-Grobiane leichter besiegen kannst.

95

RUMS! EIN TOLLPATSCHIGER ENDERMAN HAT STEVES TRUHE MIT SEINEN KOSTBAREN BESITZTÜMERN UMGEWORFEN, DIE ER SORGLOS AM RAND EINER VERFALLENEN HOCHEBENE HAT STEHEN LASSEN. MIT EINEM SPRUNG NACH VORNE KANN ER GERADE NOCH EINEN GEGENSTAND RETTEN.

HÄTTEST DU LIEBER ...

ein Paar Stiefel, mit denen du fliegen kannst,

ODER

einen Helm, der dich unsichtbar macht?

Mit diesen Stiefeln könnten mich viele Monster an Land nicht mehr verfolgen.

Mit dem Helm wäre ich fast überall vor Monstern sicher.

Wenn ich fliegen könnte, könnte ich sehr viel mehr erkunden als je zu Fuß.

Aber mit dem Helm könnte ich in Ruhe Tempel und Pyramiden erkunden.

VARIANTEN

WÜRDEST DU DICH BEI EINER DIESER VARIANTEN ANDERS ENTSCHEIDEN?

STIEFEL ZUM FLIEGEN	HELM FÜR UNSICHTBARKEIT
■ Die Stiefel sind mega unbequem, darum kannst du mit ihnen nicht auf dem Land laufen.	■ Der Helm ist zu klein und beeinträchtigt deine Sicht, wenn du ihn trägst.
■ Du kannst nur dreißig Sekunden fliegen, bis die Stiefel dich fallen lassen, egal wie hoch du bist.	■ Der Helm macht dich nur für dreißig Sekunden unsichtbar. Danach leuchtest du wie ein Leuchtfeuer und lockst alle feindlichen Monster in der Nähe an.

ALEX UND STEVE PLANEN EINE BLOCKPARTY FÜR DIE NACHBAR- SCHAFT. SIE HABEN AUCH EIN PAAR PARTYSPIELE FÜR IHRE GÄSTE VOR- BEREITET, ABER SIE VERLAUFEN NICHT GANZ NACH PLAN.

WÜRDEST DU LIEBER ...

Verstecken spielen mit einem aufgelade- nen Creeper

ODER

Sardine spielen mit zehn Baby- zombies?

Eine Party schien so eine gute Idee zu sein. Aber musstest du ausgerechnet diese Nachbarn einladen?

Ich habe sie nicht wirklich eingeladen ...

Na ja, mit einem aufgeladenen Creeper Verstecken zu spielen, sorgt bestimmt für einen großen Knaller.

Aber ich weiß nicht, ob ich es überlebe, mit neun zappeligen Babyzombies eng beieinanderzusitzen, bis uns der zehnte gefunden hat.

VARIANTEN

WÜRDEST DU DICH BEI EINER DIESER VARIANTEN ANDERS ENTSCHEIDEN?

VERSTECKEN SPIELEN	SARDINE SPIELEN
■ Wenn der aufgeladene Creeper dich gefunden hat, lässt er dir einen Vorsprung von drei Sekunden, bevor er unweigerlich explodiert.	■ Die Babyzombies erklären sich bereit stillzuhalten, bis der letzte sie gefunden hat – dann ist alles möglich, und du musst gegen sie kämpfen!
■ Der aufgeladene Creeper bringt seine Creeper-Freunde mit, die einige fette Beats auf Lager haben und für einen epischen Soundtrack bei deinem Spiel sorgen.	■ Die Babyzombies haben ein Riesenhuhn für dich gezüchtet, auf dem du reiten kannst, während du mit ihnen spielst.

STEVE KEUCHT. ER HAT VON EINER EPISCHEN SCHLACHT GETRÄUMT UND IST GERADE AUFGEWACHT. EIN BÖSER MAGIER HAT ZAUBERSPRÜCHE AUFGESAGT, UND DANN IST ETWAS UNGLAUBLICHES MIT DEN MONSTERN PASSIERT!

WÄRST DU LIEBER ...

ein Riesenzombie gegen zehn Creeper

ODER

ein Riesencreeper gegen zehn Baby-zombies?

Die größte Stärke des Riesenzombies ist gleichzeitig auch seine größte Schwäche: seine Größe. Er ist so groß, dass die Creeper ihn problemlos treffen.

Aber die größte Stärke des Creepers ist auch das, was ihn bezwingt: Um anzugreifen, kann er nur explodieren.

Aber bei dieser Größe müsste er nur auf den Babyzombies herumtrampeln!

Dazu müsste er sie erst mal erwischen! Unterschätze nie die Schnelligkeit von Babyzombies!

VARIANTEN

WÜRDEST DU DICH BEI EINER DIESER VARIANTEN ANDERS ENTSCHEIDEN?

RIESENZOMBIE	RIESENCREEPER
■ Der Riesenzombie bricht in stampfende Tanzbewegungen aus und zermalmt seine Gegner auf der Tanzfläche.	■ Der Riesencreeper leuchtet wie eine Discokugel und blendet die Babyzombies, bis sie fast blind sind.
■ Es gewittert, und die verbliebenen Creeper laden sich auf. Sie können dich mit einem Knall besiegen.	■ Die Babyzombies rufen ihre mutierten, Creeper fressenden Hühner herbei und reiten mutig auf ihnen in den Kampf!

STEVE WAR ÜBERALL IN MINECRAFT UND HAT ALLES GESEHEN. ER IST ÜBERZEUGT DAVON, DASS ES KEINE NEUEN HERAUSFORDERUNGEN MEHR FÜR IHN GIBT. DOCH ALEX GIBT NIE AUF UND HAT ZWEI NEUE FÜR IHN ZUR AUSWAHL.

WÜRDEST DU LIEBER ...

das Ende mit unbegrenzter Nahrung erkunden ODER mit unbegrenzten Enderperlen in deinem Inventar?

Zu einfach. Mit unbegrenzten Essensvorräten kann ich so lange suchen, bis ich die Endstadt gefunden habe, einen Block nach dem anderen.

 **STEVE**

Aber wenn du von einem Shulker getroffen wirst, kann auch Nahrung nicht verhindern, dass du davonschwebst.

 **ALEX**

Im Ende gibt es fast nichts zu essen – Chorusfrüchte sind keine Option, wenn sie dich wahllos teleportieren!

Deine Enderperlen teleportieren dich immerhin zurück.

Wenn ich nicht bereits im Abgrund gelandet bin!

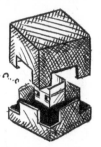

VARIANTEN

WÜRDEST DU DICH BEI EINER DIESER VARIANTEN ANDERS ENTSCHEIDEN?

UNENDLICH NAHRUNG	UNENDLICH ENDERPERLEN
■ Shulker-Geschosse sind doppelt so schnell, während du isst.	■ Jede geworfene Enderperle beschwört eine Endermilbe.
■ Es ärgert die Endermen, wenn du im Ende isst. Sie greifen dich jedes Mal an.	■ Du kannst dich nur mithilfe einer Enderperle fortbewegen. Ziele also gut, wenn du wirfst!

103

STEVE UND ALEX BEFINDEN SICH JEWEILS IN EINER VERZWEIFELTEN LAGE. STEVE MUSS DURCH EINEN GEWITTERSTURM LAUFEN, UM SEINE BASIS ZU RETTEN, WÄHREND ALEX GOLD IM NETHER ABBAUEN MUSS, IN DEM ES NUR SO VON PIGLINS WIMMELT.

WÜRDEST DU LIEBER ...

mit einem Blitzstab in der Hand in einem Gewitter stehen

ODER

vor den Piglins Gold abbauen?

Wir brauchen noch einen Goldbarren, aber der nächste Ort, wo wir einen finden können, ist der Nether! Uns bleibt keine Zeit. Wir müssen es einfach direkt vor ihnen abbauen.

Wir haben auch keine Zeit, Redstone zu finden. Wir müssen das Gewitter nutzen, um die Basis mit Strom zu versorgen.

Ein Blitzableiter würde deine Basis schützen, aber die Person, die ihn hält, würde einen Stromschlag bekommen.

Piglins schützen ihr Gold. Es wird sie nicht freuen, wenn du es direkt vor ihnen abbaust!

VARIANTEN

WÜRDEST DU DICH BEI EINER DIESER VARIANTEN ANDERS ENTSCHEIDEN?

EINEN BLITZSTAB HALTEN	GOLD ABBAUEN
■ Blitze treffen Monster in deiner Nähe – du bist jetzt von Zombie-Piglins und Hexen umgeben.	■ Du erregst die Aufmerksamkeit von Piglin-Grobianen. Sie sind wütend, weil du so dreist auf ihrem Land Gold abbaust.
■ Du hast einen Trank der Heilung und kannst einige der Blitzschäden beheben.	■ Du besitzt einen Trank der Schnelligkeit und kannst aus dem Nether flitzen, sobald du deinen Goldbarren hast.

ALEX UND STEVE SIND AUF EINE VON VIELEN FALLEN GESCHÜTZTE STRUKTUR GESTOSSEN. NACH STUNDENLANGEN VERSUCHEN GELANGEN SIE ENDLICH HINEIN UND ENTDECKEN EINE GEFANGENE HEXE, DIE IHNEN EINE BELOHNUNG ANBIETET, WEIL SIE SIE BEFREIT HABEN.

WÜRDEST DU LIEBER ...

Feuer atmen können, dafür aber unter der Erde gefangen sein, bis jemand einen Sculk-Sensor auslöst,

ODER

wie ein Wächter kreischen können, aber jedes Mal explodieren, wenn du einen Enderman siehst?

Unter der Erde eingesperrt zu sein, ist furchtbar langweilig! Wer weiß, wie lange es dauert, bis jemand einen Sculk-Sensor auslöst und mich befreit. Ich würde das Kreischen nehmen! Ich wäre unbesiegbar!

ALEX

STEVE

Aber es wird schwierig, auf Reisen zu gehen, wenn du beim Anblick eines Enderman immer explodierst. Endermen gibt es in jeder Dimension, und sie können jederzeit auftauchen. Mit Drachenfeuer wärst du immerhin frei, sobald du entkommen bist.

VARIANTEN

WÜRDEST DU DICH BEI EINER DIESER VARIANTEN ANDERS ENTSCHEIDEN?

FEUERATEM	WÄCHTERKREISCHEN
◼ Nachdem du frei bist, kommt dein Ruf einem berühmten Drachentöter zu Ohren. Jeden Morgen steht er vor deiner Basis und fordert dich zum Duell heraus.	◼ Einmal am Tag teleportiert sich ein Enderman neben dich. Er tanzt herum und will dich verlocken, einen Blick auf ihn zu werfen. Du musst ihn besiegen, ohne ihn anzusehen.
◼ Du musst jeden Tag eine Challenge gewinnen, sonst wirst du wieder unter der Erde eingesperrt. Heute musst du einen Dorfbewohner beim Kuchenbacken schlagen und darfst dabei nur dein Feuer benutzen, um ihn zu backen.	◼ Eine Gruppe von Endermen plündert jeden Tag deine Basis. Du kannst entweder explodieren – und die Sache ist erledigt – oder sie dein Zuhause für immer zerstören lassen.

ENTWERFE DEIN EIGENES „WÜRDEST DU LIEBER ...“

1. SUCHE DIR EIN THEMA AUS
Jedes gute „Würdest du lieber ...“-Spiel hat ein Thema. Was magst du in Minecraft am liebsten? Das kann alles sein: von einem bestimmten Mob über eine Aktivität bis hin zu den Eigenschaften eines Bioms.

2. BRAINSTORME
Schreibe alles auf, was lustig oder interessant ist. Alles, was dir zu deinem Thema einfällt. Und dann stell dir das Gegenteil vor.

3. SCHREIBE DEIN „WÜRDEST DU LIEBER“ AUF
Jetzt, wo du einige Ideen und ihre Gegenteile gesammelt hast, kannst du deine Fragen formulieren. Die besten „Würdest du lieber“-Fragen sind so gleich gewichtet, dass es keine klare Entscheidung gibt, und sie können auch Pro und Kontra enthalten.

4. DENKE DIR VARIANTEN AUS
Wie kannst du nun noch mehr Möglichkeiten finden, damit die Diskussion noch schwieriger oder lustiger wird? Überlege dir Varianten für beide Seiten deines Gedankenspiels – ein paar, durch die die Situation besser oder lustiger wird, und andere, die sie schwieriger machen.

BEISPIEL

1. DAS THEMA

Dorfbewohner

2. BRAINSTORMING

Die Dorfbewohner sind überfreundlich und machen großartige Handelspreise versus die Dorfbewohner wollen weder mit dir sprechen noch mit dir handeln.

Die Dorfbewohner lassen ihre Schweine in dein Gemüsebeet versus die Dorfbewohner kümmern sich um dein Gemüsebeet.

3. AUFSCHREIBEN: WÜRDEST DU LIEBER ...

in einem Dorf leben, in dem die Dorfbewohner dir großartige Preise machen, aber ihre Schweine die lästige Angewohnheit haben, dein ganzes Gemüse zu verputzen,

ODER

in einem Dorf leben, in dem kein Dorfbewohner mit dir handeln will, aber die Bauern sich für dich um deine Gemüsebeete kümmern?

4. DENKE DIR EIGENE VARIANTEN AUS

■ Die Dorfbewohner wecken dich jeden Morgen mit einem lauten Freundschaftslied, das sowohl supernervig als auch total der Ohrwurm ist.

■ Wenn du einen Dorfbewohner länger als zehn Sekunden ansiehst, jagen sie ihren Eisengolem auf dich!

TSCHÜSS!

Das war's für heute mit den Diskussionen zwischen Steve und Alex. Sie haben so einige knifflige Situationen bestehen müssen!

Ist es dir leichtgefallen, eine Wahl zu treffen? Oder hast du deine Meinung noch mal geändert, nachdem du die Varianten gelesen und festgestellt hast, dass du das Hauptgericht bei einem Spinnenfestmahl bist oder gegen einen Enderdrachen in einem Breakdance-Battle antreten musst?

Natürlich würdest du nicht in allen Fällen überleben, aber das ist ja gerade Teil des Spaßes.

Warum besprichst du deine
Lieblingsszenarien nicht mal mit
deinen Freunden oder deiner
Familie? Ihre Antworten werden
dich vielleicht überraschen!